W9-CHP-548

# CONTES

# CHARLES
# PERRAULT
# CONTES
## SUIVIS DE CONTES
## DE MADAME
## D'AULNOY

ILLUSTRÉS
PAR EVA BEDNÁŘOVÁ

Gründ

Seizième édition 1996
Illustrations de Eva Bednářová
Arrangement graphique par Miloslav Fulín
© 1990 AVENTINUM NAKLADATELSTVÍ, s. r. o., Prague
(Première édition 1978 par Artia, Prague)
© 1978 LIBRAIRIE GRÜND, Paris (pour l'édition française)
ISBN : 2-7000-1110-4
Imprimé en République slovaque

Loi n° 49-956 du 16 juillet 1949 sur les
publications destinées à la jeunesse
1/01/33/53-16

# TABLE

## Contes de Perrault

11 – – PEAU–D'ANE
24 – – LES SOUHAITS RIDICULES
30 – – LA BELLE AU BOIS DORMANT
40 – – LE PETIT CHAPERON ROUGE
44 – – LA BARBE–BLEUE
52 – – LE CHAT BOTTÉ OU LE MAITRE CHAT
60 – – LES FÉES
66 – – CENDRILLON OU LA PETITE PANTOUFLE
       DE VERRE
75 – – RIQUET A LA HOUPPE
84 – – LE PETIT POUCET

## Contes de Madame d'Aulnoy

95 – – L'OISEAU BLEU
126 – – LA BELLE AUX CHEVEUX D'OR
139 – – LA BICHE AU BOIS
168 – – LA CHATTE BLANCHE

# PEAU-D'ANE

Il était une fois un roi si grand, si aimé de ses peuples, si respecté de tous ses voisins et de ses alliés, qu'on pouvait dire qu'il était le plus heureux de tous les monarques. Son bonheur était encore confirmé par le choix qu'il avait fait d'une princesse aussi belle que vertueuse; et ces heureux époux vivaient dans une union parfaite. De leur mariage était née une fille, douée de tant de grâce et de charmes, qu'ils ne regrettaient pas de n'avoir pas une plus grande lignée.

La magnificence, le goût et l'abondance régnaient dans son palais; les ministres étaient sages et habiles; les courtisans, vertueux et attachés; les domestiques, fidèles et laborieux; les écuries, vastes et remplies des plus beaux chevaux du monde, couverts de riches caparaçons: mais ce qui étonnait les étrangers qui venaient admirer ces belles écuries, c'est qu'au lieu le plus apparent un maître d'âne étalait de longues et grandes oreilles. Ce n'était pas par fantaisie, mais avec raison, que le roi lui avait donné une place particulière et distinguée. Les vertus de ce rare animal méritaient cette distinction, puisque la nature l'avait formé si extraordinaire, que sa litière, au lieu d'être malpropre, était couverte, tous les matins, avec profusion, de beaux écus au soleil et de louis d'or de toute espèce, qu'on allait recueillir à son réveil.

Or, comme les vicissitudes de la vie s'étendent aussi bien sur les rois que sur les sujets, et que toujours les biens sont mêlés de quelques maux, le ciel permit que la reine fût tout à coup attaquée d'une âpre maladie, pour laquelle, malgré la science et l'habileté des médecins, on ne put trouver aucun secours. La désolation fut générale. Le roi, sensible et amoureux, malgré le proverbe fameux qui dit que le mariage est le tombeau de l'amour, s'affligeait sans modération, faisait des vœux ardents à tous les temples de son royaume, offrait sa vie pour celle d'une épouse si chère, mais les dieux et les fées étaient invoqués en vain. La reine, sentant sa dernière heure approcher, dit à son époux qui fondait en larmes:

— Trouvez bon, avant que je meure, que j'exige une chose de vous: c'est que s'il vous prenait envie de vous remarier...

A ces mots, le roi fit des cris pitoyables, prit les mains de sa femme, les baigna de pleurs, et, l'assurant qu'il était superflu de lui parler d'un second mariage:

— Non, non, dit-il enfin, ma chère reine, parlez-moi plutôt de vous suivre.

— L'État, reprit la reine avec une fermeté qui augmentait les regrets de ce prince, l'État doit exiger des successeurs, et, comme je ne vous ai donné qu'une fille, vous presser d'avoir des fils qui vous ressemblent: mais je vous demande instamment, par tout l'amour que vous avez eu pour moi, de ne céder à l'empressement de vos peuples que lorsque vous aurez trouvé une princesse plus belle et mieux faite que moi; j'en veux votre serment, et alors je mourrai contente.

On présume que la reine, qui ne manquait pas d'amour-propre, avait exigé ce serment, ne croyant pas qu'il fût au monde personne qui pût l'égaler, pensant bien que c'était s'assurer que le roi ne se remarierait jamais. Enfin elle mourut. Jamais mari ne fit tant de vacarme: pleurer, sangloter jour et nuit, menus droits du veuvage, furent son unique occupation.

Les grandes douleurs ne durent pas. D'ailleurs, les grands de l'État s'assemblèrent, et vinrent en corps prier le roi de se remarier. Cette première proposition lui parut dure, et lui fit répandre de nouvelles larmes. Il allégua le serment qu'il avait fait à la reine, défiant tous ses conseillers de pouvoir trouver une princesse plus belle et mieux faite que feu sa femme, pensant que cela était impossible. Mais le conseil traita de babiole une telle promesse et dit qu'il importait peu de la beauté, pourvu qu'une reine fût vertueuse; que l'État demandait des princes pour son repos et sa tranquillité; qu'à la vérité, l'Infante avait toutes les qualités requises pour faire une grande reine, mais qu'il fallait lui choisir un époux; et qu'alors ou cet étranger l'emmènerait chez lui, ou que, s'il régnait avec elle, ses enfants ne seraient plus réputés du même sang; et que, n'y ayant point de prince de son nom, les peuples voisins pourraient lui susciter des guerres qui entraîneraient la ruine du royaume. Le roi, frappé de ces considérations, promit qu'il songerait à les contenter.

Effectivement, il chercha, parmi les princesses à marier, qui serait celle qui pourrait lui convenir. Chaque jour on lui apportait des portraits charmants, mais aucun n'avait les grâces de la feue reine: ainsi il ne se déterminait point. Malheureusement il s'avisa de trouver que l'Infante surpassait encore de beaucoup la reine sa mère en esprit et en agréments. Sa jeunesse, l'agréable fraîcheur de ce beau teint enflammèrent le roi d'un ton si violent, qu'il ne put le cacher à l'Infante, et il lui dit qu'il avait résolu de l'épouser, puisqu'elle seule pouvait le dégager de son serment.

La jeune princesse, remplie de vertu et de pudeur, pensa s'évanouir à cette horrible proposition. Elle se jeta aux pieds du roi son père, et le conjura, avec toute la force qu'elle pût trouver dans son esprit, de ne la pas contraindre à commettre un tel crime.

Le roi, qui s'était mis en tête ce bizarre projet, avait consulté un vieux druide pour mettre la conscience de la princesse en repos. Ce druide, moins religieux qu'ambitieux, sacrifia, à l'honneur d'être confident d'un grand roi, l'intérêt et l'innocence et de la vertu, et s'insinua avec tant d'adresse dans l'esprit du roi, lui adoucit tellement le crime qu'il allait commettre, qu'il lui persuada même

que c'était une œuvre pie que d'épouser sa fille. Ce prince, flatté par les discours de ce scélérat, l'embrassa et revint d'avec lui plus entêté que jamais dans son projet: il fit donc ordonner à l'Infante de se préparer à lui obéir.

La jeune princesse, outrée d'une vive douleur, n'imagina rien d'autre chose que d'aller trouver la Fée des Lilas, sa marraine. Pour cet effet, elle partit la même nuit dans un joli cabriolet attelé d'un gros mouton qui savait tous les chemins. Elle y arriva heureusement. La fée, qui aimait l'Infante, lui dit qu'elle savait tout ce qu'elle venait lui dire, mais qu'elle n'eût aucun souci, rien ne pouvant lui nuire si elle exécutait fidèlement ce qu'elle allait lui prescrire.

— Car, ma chère enfant, lui dit-elle, ce serait une grande faute que d'épouser votre père, mais, sans le contredire, vous pouvez l'éviter: dites-lui que, pour remplir une fantaisie que vous avez, il faut qu'il vous donne une robe de la couleur du temps; jamais, avec tout son amour et son pouvoir, il ne pourra y parvenir.

La princesse remercia bien sa marraine; et dès le lendemain matin, elle dit au roi son père ce que la fée lui avait conseillé, et protesta qu'on ne tirerait d'elle aucun aveu qu'elle n'eût une robe couleur du temps. Le roi, ravi de l'espérance qu'elle lui donnait, assembla les plus fameux ouvriers, et leur commanda cette robe, sous la consigne que, s'ils ne pouvaient réussir, il les ferait tous pendre. Il n'eut pas le chagrin d'en venir à cette extrémité, dès le second jour ils apportèrent la robe si désirée. D'empyrée([1]) n'est pas d'un plus beau bleu lorsqu'il est ceint de nuages d'or, que cette belle robe lorsqu'elle fut étalée. L'Infante en fut toute contristée et ne savait comment se tirer d'embarras. Le roi pressait la conclusion. Il fallut recourir encore à la marraine, qui, étonnée de ce que son secret n'avait pas réussi, lui dit d'essayer d'en demander une de la couleur de la lune. Le roi, qui ne pouvait lui rien refuser, envoya chercher les plus habiles ouvriers, et leur commanda si expressément une robe couleur de la lune, qu'entre ordonner et apporter il n'y eut pas vingt-quatre heures...

L'Infante, plus charmée de cette superbe robe que des soins du roi son père, s'affligea immodérément lorsqu'elle fut avec ses femmes et sa nourrice. La Fée des Lilas, qui savait tout, vint au secours de l'affligée princesse, et lui dit:

— Ou je me trompe fort, ou je crois que, si vous demandez une robe couleur du soleil, ou nous viendrons à bout de dégoûter le roi votre père, car jamais on ne pourra parvenir à faire une pareille robe, ou nous gagnerons au moins du temps.

L'Infante en convint, demanda la robe et l'amoureux roi donna, sans regret, tous les diamants et les rubis de sa couronne pour aider à ce superbe ouvrage,

[1] La partie la plus élevée du ciel.

15

avec l'ordre de ne rien épargner pour rendre cette robe égale au soleil. Aussi, dès qu'elle parût, tous ceux qui la virent déployée furent obligés de fermer les yeux, tant ils furent éblouis. C'est de ce temps que datent les lunettes vertes et les verres noirs. Que devient l'Infante à cette vue? Jamais on n'avait rien vu de si beau et de si artistement ouvré. Elle était confondue; et sous prétexte d'avoir mal aux yeux, elle se retira dans sa chambre où la fée l'attendait, plus honteuse qu'on ne peut dire. Ce fut bien pis: car, en voyant la robe du soleil, elle devint rouge de colère.

— Oh! pour le coup, ma fille, dit-elle à l'Infante, nous allons mettre l'indigne amour de votre père à une terrible épreuve. Je le crois bien entêté de ce mariage qu'il croit si prochain, mais je pense qu'il sera un peu étourdi de la demande que je vous conseille de lui faire: C'est la peau de cet âne qu'il aime si passionnément, et qui fournit à toutes ses dépenses avec tant de profusion; allez, et ne manquez pas de lui dire que vous désirez cette peau.

L'Infante, ravie de trouver encore un moyen d'éluder un mariage qu'elle détestait, et qui pensait en même temps que son père ne pourrait jamais se résoudre à sacrifier son âne, vint le trouver et lui exposa son désir pour la peau de ce bel animal. Quoique le roi fût étonné de cette fantaisie, il ne balança pas à la satisfaire. Le pauvre âne fut sacrifié, et la peau galamment apportée à l'Infante, qui, ne voyant plus aucun moyen d'éluder son malheur, s'allait désespérer, lorsque sa marraine accourut.

— Que faites-vous, ma fille? dit-elle, voyant la princesse déchirant ses cheveux et meurtrissant ses belles joues; voici le moment le plus heureux de votre vie. Enveloppez-vous de cette peau, sortez de ce palais, et allez tant que la terre pourra vous porter: lorsqu'on sacrifie tout à la vertu, les dieux savent en récompenser. Allez, j'aurai soin que votre toilette vous suive partout; en quelque lieu que vous vous arrêtiez, votre cassette, où seront vos habits et vos bijoux, suivra vos pas sous terre; et voici ma baguette que je vous donne: en frappant la terre, quand vous aurez besoin de cette cassette, elle paraîtra à vos yeux; mais hâtez-vous de partir, et ne tardez pas.

L'Infante embrassa mille fois sa marraine, la pria de ne pas l'abandonner, s'affubla de cette vilaine peau, après s'être barbouillée de suie de cheminée, et sortit de ce riche palais sans être reconnue de personne.

L'absence de l'Infante causa une grande rumeur. Le roi, au désespoir, qui avait fait préparer une fête magnifique, était inconsolable. Il fit partir plus de cent gendarmes et plus de mille mousquetaires pour aller à la recherche de sa fille; mais la fée, qui la protégeait, la rendait invisible aux plus habiles recherches: ainsi il fallut bien s'en consoler.

Pendant ce temps, l'Infante cheminait. Elle alla bien loin, encore plus loin,

16

et cherchait partout une place; mais quoique par charité on lui donnât à manger, on la trouvait si crasseuse que personne n'en voulait.

Cependant, elle entra dans une belle ville, à la porte de laquelle était une métairie, dont la fermière avait besoin d'un souillon pour laver les torchons, nettoyer les dindons et l'auge des cochons. Cette femme, voyant cette voyageuse si malpropre, lui proposa d'entrer chez elle; ce que l'Infante accepta de grand cœur, tant elle était lasse d'avoir tant marché. On la mit dans un coin reculé de la cuisine, où elle fut, les premiers jours, en butte aux plaisanteries grossières de la valetaille, tant sa peau d'âne la rendait sale et dégoûtante. Enfin, on s'y accoutuma; d'ailleurs elle était si soigneuse de remplir ses devoirs, que la fermière la prit sous sa protection. Elle conduisait les moutons, les faisait parquer au temps où il le fallait; elle menait les dindons paître avec une telle intelligence, qu'il semblait qu'elle n'eût jamais fait autre chose: aussi tout fructifiait sous ses belles mains.

Un jour qu'assise près d'une claire fontaine, où elle déplorait souvent sa triste condition, elle s'avisa de s'y mirer, l'effroyable peau d'âne, qui faisait sa coiffure et son habillement, l'épouvanta. Honteuse de cet ajustement, elle se décrassa le visage et les mains, qui devinrent plus blanches que l'ivoire, et son beau teint reprit sa fraîcheur naturelle. La joie de se trouver si belle lui donna envie de se baigner, ce qu'elle exécuta; mais il lui fallut remettre son indigne peau pour retourner à la métairie. Heureusement, le lendemain était un jour de fête; ainsi elle eut le loisir de tirer sa cassette, d'arranger sa toilette, de poudrer ses beaux cheveux, et de mettre sa belle robe couleur du temps. Sa chambre était si petite, que la queue de cette belle robe ne pouvait pas s'étendre. La belle princesse se mira et s'admira elle-même avec raison, si bien qu'elle résolut, pour se désennuyer, de mettre tour à tour ses belles robes, les fêtes et les dimanches; ce qu'elle exécuta ponctuellement.

Elle mêlait des fleurs et des diamants dans ses beaux cheveux, avec un art admirable et souvent elle soupirait de n'avoir pour témoins de sa beauté que ses moutons et ses dindons, qui l'aimaient autant avec son horrible peau d'âne, dont on lui avait donné le nom dans cette ferme.

Un jour de fête, que Peau-d'Ane avait mis la robe couleur du soleil, le fils du roi, à qui cette ferme appartenait, vint y descendre pour se reposer, en revenant de la chasse. Ce prince était jeune, beau et admirablement bien fait, l'amour de son père et de la reine sa mère, adoré des peuples. On offrit à ce jeune prince une collation champêtre, qu'il accepta; puis il se mit à parcourir les basses-cours et tous les recoins. En courant ainsi de lieu en lieu, il entra dans une sombre allée, au bout de laquelle il vit une porte fermée. La curiosité lui fit mettre l'œil à la serrure; mais que devint-il en apercevant la princesse si belle et si richement vêtue, qu'à son air noble et modeste, il la prit pour une divinité. L'impétuosité du sentiment qu'il éprouva dans ce moment l'aurait porté à enfoncer la porte, sans le respect que lui inspira cette ravissante personne.

Il sortit avec peine de cette allée sombre et obscure, mais ce fut pour s'informer qui était la personne qui demeurait dans cette petite chambre. On lui répondit que c'était une souillon, qu'on nommait Peau-d'Ane à cause de la peau dont elle s'habillait, et qu'elle était si sale et si crasseuse, que personne ne la regardait ni lui parlait et qu'on ne l'avait prise que par pitié, pour garder les moutons et les dindons.

Le prince, peu satisfait de cet éclaircissement, vit bien que ces gens grossiers n'en savaient pas davantage, et qu'il était inutile de les questionner. Il revint au palais du roi son père, plus amoureux qu'on ne peut dire, ayant continuellement devant les yeux la belle image de cette divinité qu'il avait vue par le trou de la serrure. Il se repentit de n'avoir pas heurté à la porte et se promit bien de n'y pas manquer une autre fois. Mais l'agitation de son sang, causée par l'ardeur de son amour, lui donna, dans la même nuit, une fièvre si terrible, que bientôt il fut réduit à l'extrémité.

La reine, sa mère, qui n'avait que lui d'enfant, se désespérait de ce que tous les remèdes étaient inutiles. Elle promettait en vain les plus grandes récompenses aux médecins; ils y employèrent tout leur art, mais rien ne guérissait le prince.

Enfin, ils devinèrent qu'un mortel chagrin causait tout ce ravage; ils en avertirent la reine, qui, toute pleine de tendresse pour son fils, vint le conjurer de dire la cause de son mal et que, quand il s'agirait de lui céder la couronne, le roi son père descendrait de son trône sans regret, pour l'y faire monter; que s'il désirait quelque princesse, quand même on serait en guerre avec le roi son père, et qu'on eût de justes sujets pour s'en plaindre, on sacrifierait tout pour obtenir ce qu'il désirait; mais qu'elle le conjurait de ne pas se laisser mourir, puisque de sa vie dépendait la leur.

La reine n'acheva pas ce touchant discours sans mouiller le visage du prince d'un torrent de larmes.

— Madame, lui dit enfin le prince avec une voix très faible, je ne suis pas assez dénaturé pour désirer la couronne de mon père; plaise au ciel qu'il vive de longues années, et qu'il veuille bien que je sois longtemps le plus fidèle et le plus respectueux de ses sujets. Quant aux princesses que vous m'offrez, je n'ai point encore pensé à me marier et vous pensez bien que, soumis comme je le suis à vos volontés, je vous obéirai toujours, quoi qu'il m'en coûte.

— Ah, mon fils, reprit la reine, rien ne me coûtera pour te sauver la vie, mais, mon cher fils, sauve la mienne et celle du roi ton père en me déclarant ce que tu désires et sois bien assuré qu'il te sera accordé.

— Eh bien, madame, dit-il, puisqu'il faut vous déclarer ma pensée, je vais vous obéir; je me ferais un crime de mettre en danger deux êtres qui me sont si chers.

«Oui, ma mère, je désire que Peau-d'Ane me fasse un gâteau, et que, dès qu'il sera fait, on me l'apporte.

La reine, étonnée de ce nom bizarre, demanda qui était cette Peau-d'Ane.

— C'est, Madame, reprit un de ses officiers qui par hasard avait vu cette fille, c'est la plus vilaine bête après le loup; une peau noire, une crasseuse qui loge dans votre métairie et qui garde vos dindons.

— N'importe, dit la reine: mon fils, au retour de la chasse, a peut-être mangé de sa pâtisserie; c'est une fantaisie de malade; en un mot, je veux que Peau-d'Ane (puisque Peau-d'Ane, il y a) lui fasse promptement un gâteau.

On courut à la métairie, et l'on fit venir Peau-d'Ane, pour lui ordonner de faire de son mieux un gâteau pour le prince.

Quelques auteurs ont assuré que Peau-d'Ane, au moment que ce prince avait mis l'œil à la serrure, les siens l'avaient aperçu; et puis que, regardant par sa petite fenêtre, elle avait vu ce prince si jeune, si beau et si bien fait, que l'idée lui en était restée, et que souvent ce souvenir lui avait coûté quelques soupirs.

Quoi qu'il en soit, Peau-d'Ane l'ayant vu, ou en ayant beaucoup entendu parler avec éloge, ravie de pouvoir trouver un moyen d'être connue, s'enferma dans sa chambre, jeta sa vilaine peau, se décrassa le visage et les mains, se coiffa de ses blonds cheveux, mit un beau corset d'argent brillant, un jupon pareil, et se mit à faire le gâteau tant désiré: elle prit de la plus pure farine, des œufs et du beurre bien frais. En travaillant, soit de dessein ou autrement, une bague qu'elle avait au doigt tomba dans la pâte, s'y mêla; et dès que le gâteau fut cuit, s'affublant de son horrible peau, elle donna le gâteau à l'officier, à qui elle demanda des nouvelles du prince; mais cet homme, ne daignant pas lui répondre, courut chez le prince lui apporter ce gâteau.

Le prince le prit avidement des mains de cet homme, et le mangea avec une telle vivacité, que les médecins, qui étaient présents, ne manquèrent pas de dire que cette fureur n'était pas un bon signe: effectivement, le prince pensa s'étrangler par la bague qu'il trouva dans un morceau du gâteau; mais il la tira adroitement de sa bouche et son ardeur à dévorer ce gâteau se ralentit, en examinant cette fine émeraude, montée sur un jonc d'or dont le cercle était si étroit, qu'il jugea ne pouvoir servir qu'au plus joli doigt du monde.

Il baisa mille fois cette bague, la mit sous son chevet et l'en tirait à tout moment quand il croyait n'être vu de personne. Le tourment qu'il se donna pour imaginer comment il pourrait voir celle à qui cette bague pouvait aller et n'osant croire, s'il demandait Peau-d'Ane, qui avait fait ce gâteau qu'il avait demandé, qu'on lui accordât de la faire venir, n'osant non plus croire ce qu'il avait vu par le trou de la serrure, de crainte qu'on se moquât de lui et qu'on le prît pour un visionnaire, toutes ces idées le tourmentant à la fois, la fièvre le reprit fortement et les médecins, ne sachant plus que faire, déclarèrent à la reine que le prince était malade d'amour.

La reine accourut chez son fils, avec le roi, qui se désolait:

— Mon fils, mon cher fils, s'écria le monarque affligé, nomme-nous celle que tu veux; nous jurons que nous te la donnerons, fût-elle la plus vile des esclaves.

La reine, en l'embrassant, lui confirma le serment du roi.

Le prince, attendri par les larmes et les caresses des auteurs de ses jours, leur dit:

— Mon père et ma mère, je n'ai point dessein de faire une alliance qui vous déplaise et pour preuve de cette vérité, dit-il en tirant l'émeraude de dessous son chevet, c'est que j'épouserai la personne à qui cette bague ira, telle qu'elle soit; et il n'y a pas apparence que celle qui aura ce joli doigt soit une rustaude ou une paysanne.

Le roi et la reine prirent la bague, l'examinèrent curieusement et jugèrent, ainsi que le prince, que cette bague ne pouvait aller qu'à quelque fille de bonne maison.

Alors, le roi, ayant embrassé son fils en le conjurant de guérir, sortit, fit sonner les tambours, les fifres et les trompettes par toute la ville et crier par ses hérauts que l'on n'avait qu'à venir au palais essayer une bague et que celle à qui elle irait juste, épouserait l'héritier du trône.

Les princesses d'abord arrivèrent, puis les duchesses, les marquises et les baronnes; mais elles eurent beau toutes s'amenuiser les doigts, aucune ne put mettre la bague. Il en fallut venir aux grisettes, qui toutes jolies qu'elles étaient, avaient toutes les doigts trop gros. Le prince, qui se portait mieux, faisait lui-même l'essai. Enfin, on en vint aux filles de chambre; elles ne réussirent pas mieux. Il n'y avait plus personne qui n'eût essayé cette bague sans succès, lorsque le prince demanda les cuisinières, les marmitonnes, les gardeuses de moutons: on amena tout cela; mais leurs gros doigts rouges et courts ne purent seulement aller par delà de l'ongle.

— A-t-on fait venir cette Peau-d'Ane, qui m'a fait un gâteau ces jours derniers? dit le prince.

Chacun se prit à rire, et lui dit que non, tant elle était sale et crasseuse.

— Qu'on l'aille chercher sur l'heure, dit le roi; il ne sera pas dit que j'aie excepté quelqu'un.

On courut, en riant et se moquant, chercher la dindonnière.

L'Infante, qui avait entendu les tambours et les cris des hérauts d'armes, s'était bien doutée que sa bague faisait ce tintamarre: elle aimait le prince et, comme le véritable amour est craintif et n'a point de vanité, elle était dans la crainte continuelle que quelque dame n'eût le doigt aussi menu que le sien. Elle eut donc une grande joie quand on vint la chercher et qu'on heurta à sa porte. Depuis qu'elle avait su qu'on cherchait un doigt propre à mettre sa bague, je ne sais quel espoir l'avait portée à se coiffer plus soigneusement, et à mettre son beau corsage d'argent, avec le jupon plein de falbalas de dentelle d'argent, semés d'émeraudes. Sitôt qu'elle entendît qu'on heurtait à la porte et qu'on l'appelait pour aller chez le prince, elle remit promptement sa peau d'Ane, ouvrit sa porte; et ces gens, en se moquant d'elle, lui dirent que le roi la demandait pour lui faire épouser son fils, puis avec de longs éclats de rire, ils la menèrent chez le prince, qui, lui-même, étonné de l'accoutrement de cette fille, n'osa croire que ce fût elle qu'il avait vue si pompeuse et si belle. Triste et confondu de s'être si lourdement trompé:

— Est-ce vous, lui dit-il, qui logez au fond de cette allée obscure, dans la troisième basse-cour de la métairie?

— Oui, seigneur, répondit-elle.

— Montrez-moi votre main, dit-il en tremblant et poussant un profond soupir...

Dame, qui fut bien surpris? Ce furent le roi et la reine, ainsi que tous les chambellans et les grands de la cour, lorsque de dessous cette peau noire et crasseuse sortit une petite main délicate, blanche et couleur de rose, où la bague s'ajusta sans peine au plus joli petit doigt du monde et par un petit mouvement que l'Infante se donna, la peau tomba, et elle parut d'une beauté si ravissante, que le prince, tout faible qu'il était, se mit à ses genoux et les serra avec une ardeur qui la fit rougir; mais, on ne s'en aperçut presque pas, parce que le roi et la reine vinrent l'embrasser de toute leur force et lui demander si elle voulait bien épouser leur fils. La princesse, confuse de tant de caresses et de l'amour que lui marquait ce beau jeune prince, allait cependant les en remercier, lorsque le plafond s'ouvrit et que la Fée des Lilas, descendant dans un char fait de branches et de fleurs de son nom, conta, avec une grâce infinie, l'histoire de l'Infante.

Le roi et la reine, charmés de voir que Peau-d'Ane était une grande princesse, redoublèrent leurs caresses, mais le prince fut encore plus sensible à la vertu de la princesse et son amour s'accrût par cette connaissance.

L'impatience du prince, pour épouser la princesse, fut telle, qu'à peine donna-t-il le temps de faire les préparatifs convenables pour cet auguste mariage. Le roi et la reine, qui étaient affolés de leur belle-fille, lui faisaient mille caresses et la tenaient incessamment dans leurs bras; elle avait déclaré qu'elle ne pouvait épouser le prince sans le consentement du roi son père: aussi fut-il le premier à qui on envoya une invitation, sans lui dire quelle était l'épousée; la Fée des Lilas, qui présidait à tout, comme de raison, l'avait exigé, à cause des conséquences. Il vint des rois de tous les pays: les uns en chaise à porteurs, d'autres en cabriolet, de plus éloignés, montés sur des éléphants, sur des tigres, sur des aigles, mais le plus magnifique et le plus puissant fut le père de l'Infante, qui heureusement avait oublié son amour impossible et avait épousé une reine veuve, fort belle, dont il n'avait point eu d'enfant. L'Infante courut au-devant de lui; il la reconnut aussitôt, et l'embrassa avec une grande tendresse, avant qu'elle eût le temps de se jeter à ses enoux. Le roi et la reine lui présentèrent leur fils, qu'il combla d'amitiés. Les noces se firent avec toute la pompe imaginable. Les jeunes époux, peu sensibles à ces magnificences, ne virent et ne regardèrent qu'eux.

Le roi, père du prince, fit couronner son fils ce même jour, et, lui baisant la main, le plaça sur son trône. Malgré la résistance de ce fils si bien né, il lui fallut obéir. Les fêtes de cet illustre mariage durèrent près de trois mois; mais l'amour des deux époux durerait encore, tant ils s'aimaient, s'ils n'étaient pas morts cent ans après.

# LES SOUHAITS RIDICULES

A Mademoiselle de La C***

Si vous étiez moins raisonnable,
Je me garderais bien de venir vous conter
    La folle et peu galante fable
    Que je m'en vais vous débiter.
Une aune de Boudin en fournit la matière.
    «Une aune de Boudin, ma chère!
    Quelle pitié! c'est une horreur»,
    S'écriait une Précieuse,
    Qui toujours tendre et sérieuse
Ne veut ouïr parler que d'affaires de cœur.
    Mais vous qui mieux qu'Ame qui vive
    Savez charmer en racontant,
Et dont l'expression est toujours si naïve,
    Que l'on croit voir ce qu'on entend;
    Qui savez que c'est la manière
    Dont quelque chose est inventé,
    Qui beaucoup plus que la matière
    De tout Récit fait la beauté,
Vous aimerez ma fable et sa moralité;
J'en ai, j'ose le dire, une assurance entière.


Il était une fois un pauvre Bûcheron
    Qui las de sa pénible vie,
    Avait, disait-il, grande envie
De s'aller reposer aux bords de l'Achéron:
    Représentant, dans sa douleur profonde,
    Que depuis qu'il était au monde,
    Le Ciel cruel n'avait jamais
Voulu remplir un seul de ses souhaits.

Un jour que, dans le Bois, il se mit à se plaindre,
A lui, la foudre en main, Jupiter s'apparut.
    On aurait peine à bien dépeindre
    La peur que le bonhomme en eut.

«Je ne veux rien, dit-il, en se jetant par terre,
Point de souhaits, point de Tonnerre,
     Seigneur, demeurons but à but.
     — Cesse d'avoir aucune crainte;
Je viens, dit Jupiter, touché de ta complainte,
     Te faire voir le tort que tu me fais.
          Écoute donc. Je te promets,
Moi qui du monde entier suis le souverain maître,
D'exaucer pleinement les trois premiers souhaits
Que tu voudras former sur quoi que ce puisse être.
          Vois ce qui peut te rendre heureux,
          Vois ce qui peut te satisfaire;
Et comme ton bonheur dépend tout de tes vœux,
          Songes-y bien avant que de les faire.»

A ces mots Jupiter dans les Cieux remonta,
Et le gai Bûcheron, embrassant sa falourde,
Pour retourner chez lui sur son dos la jeta.
Cette charge jamais ne lui parut moins lourde.
          «Il ne faut pas, disait-il en trottant,
          Dans tout ceci, rien faire à la légère;
               Il faut, le cas est important,
               En prendre avis de notre ménagère.
Çà, dit-il, en entrant sous son toit de fougère,
          Faisons, Fanchon, grand feu, grand chère,
          Nous sommes riches à jamais,
          Et nous n'avons qu'à faire des souhaits.»
Là-dessus tout au long le fait il lui raconte.
     A ce récit, l'Épouse vive et prompte
Forma dans son esprit mille vastes projets;
          Mais considérant l'importance
          De s'y conduire avec prudence:
«Blaise, mon cher ami, dit-elle à son époux,
Ne gâtons rien par notre impatience;
          Examinons bien entre nous
Ce qu'il faut faire en pareille occurrence;
Remettons à demain notre premier souhait
          Et consultons notre chevet.
— Je l'entends bien ainsi, dit le bonhomme Blaise;

26

Mais va tirer du vin derrière ces fagots. »
A son retour il but, et goûtant à son aise
  Près d'un grand feu la douceur du repos,
Il dit, en s'appuyant sur le dos de sa chaise:
  «Pendant que nous avons une si bonne braise,
Qu'une aune de Boudin viendrait bien à propos! »
A peine acheva-t-il de prononcer ces mots,
Que sa femme aperçut, grandement étonnée,
   Un Boudin fort long, qui partant
   D'un des coins de la cheminée,
   S'approchait d'elle en serpentant.
   Elle fit un cri dans l'instant;
   Mais jugeant que cette aventure
   Avait pour cause le souhait
   Que par bêtise toute pure
   Son homme imprudent avait fait,
   Il n'est point de pouille et d'injure
   Que de dépit et de courroux
   Elle ne dît au pauvre époux.
«Quand on peut, disait-elle, obtenir un Empire,
   De l'or, des perles, des rubis,
   Des diamants, de beaux habits,
Est-ce alors du Boudin qu'il faut que l'on désire?
— Eh bien, j'ai tort, dit-il, j'ai mal placé mon choix,
   J'ai commis une faute énorme,
   Je ferai mieux une autre fois.
— Bon, bon, dit-elle, attendez-moi sous l'orme,
Pour faire un tel souhait, il faut être bien bœuf! »
L'époux plus d'une fois, emporté de colère,
Pensa faire tout bas le souhait d'être veuf,
Et peut-être, entre nous, ne pouvait-il mieux faire:
«Les hommes, disait-il, pour souffrir sont bien nés!
Peste soit du Boudin et du Boudin encore;
   Plût à Dieu, maudite Pécore,
   Qu'il te pendît au bout du nez! »


La prière aussitôt du Ciel fut écoutée,
Et dès que le Mari la parole lâcha,

Au nez de l'épouse irritée
L'aune de Boudin s'attacha.
Ce prodige imprévu grandement le fâcha.
Fanchon était jolie, elle avait bonne grâce,
Et pour dire sans fard la vérité du fait,
Cet ornement en cette place
Ne faisait pas un bon effet;
Si ce n'est qu'en pendant sur le bas du visage,
Il l'empêchait de parler aisément,
Pour un époux merveilleux avantage,
Et si grand qu'il pensa dans cet heureux moment
Ne souhaiter rien davantage.
«Je pourrais bien, disait-il à part soi,
Après un malheur si funeste,
Avec le souhait qui me reste,
Tout d'un plein saut me faire Roi.
Rien n'égale, il est vrai, la grandeur souveraine;
Mais encore faut-il songer
Comment serait faite la Reine,
Et dans quelle douleur ce serait la plonger
De l'aller placer sur un trône
Avec un nez plus long qu'une aune.
Il faut l'écouter sur cela,
Et qu'elle-même elle soit la maîtresse
De devenir une grande Princesse
En conservant l'horrible nez qu'elle a,
Ou de demeurer Bûcheronne
Avec un nez comme une autre personne,
Et tel qu'elle l'avait avant ce malheur-là.»

La chose bien examinée,
Quoiqu'elle sût d'un sceptre et la force et l'effet,
Et que, quand on est couronnée,
On a toujours le nez bien fait;
Comme au désir de plaire il n'est rien qui ne cède,
Elle aima mieux garder son Bavolet
Que d'être Reine et d'être laide.

Ainsi le Bûcheron ne changea point d'état,
    Ne devint point grand Potentat,
    D'écus ne remplit point sa bourse,
Trop heureux d'employer le souhait qui restait,
    Faible bonheur, pauvre ressource,
A remettre sa femme en l'état qu'elle était.

    Bien est donc vrai qu'aux hommes misérables,
Aveugles, imprudents, inquiets, variables,
    Pas n'appartient de faire des souhaits,
    Et que peu d'entre eux sont capables
De bien user des dons que le Ciel leur a faits.

# LA BELLE AU BOIS DORMANT

Il était une fois un roi et une reine qui étaient si fâchés de n'avoir point d'enfants, si fâchés qu'on ne saurait dire. Ils allèrent à toutes les eaux du monde: vœux, pèlerinages, menues dévotions, tout fut mis en œuvre, et rien n'y faisait. Enfin, pourtant, la reine eut une fille. On fit un beau baptême; on donna pour marraines à la petite princesse toutes les fées qu'on put trouver dans le pays (il s'en trouva sept), afin que, chacune d'elles lui faisant un don, comme c'était la coutume des fées en ce temps-là, la princesse eût, par ce moyen, toutes les perfections imaginables.

Après les cérémonies du baptême, toute la compagnie revint au palais du roi, où il y avait un grand festin pour les fées. On mit devant chacune d'elles un couvert magnifique, avec un étui d'or massif où il y avait une cuiller, une fourchette et un couteau d'or fin, garnis de diamants et de rubis. Mais, comme chacun prenait place à table, on vit entrer une vieille fée, qu'on n'avait point priée, parce qu'il y avait plus de cinquante ans qu'elle n'était sortie d'une tour, et qu'on la croyait morte ou enchantée.

Le roi lui fit donner un couvert; mais il n'y eut pas moyen de lui donner un étui d'or massif, comme aux autres, parce que l'on n'en avait fait faire que sept, pour les sept fées. La vieille crut qu'on la méprisait, et grommela quelques menaces entre ses dents. Une des jeunes fées, qui se trouva auprès d'elle, l'entendit, et, jugeant qu'elle pourrait donner quelque fâcheux don à la petite princesse, alla, dès qu'on fut sorti de table, se cacher derrière la tapisserie, afin de parler la dernière, et de pouvoir réparer, autant qu'il lui serait possible, le mal que la vieille aurait fait.

Cependant les fées commencèrent à faire leurs dons à la princesse. La plus jeune lui donna pour don qu'elle serait la plus belle personne du monde; celle d'après, qu'elle aurait de l'esprit comme un ange; la troisième, qu'elle aurait une grâce admirable à tout ce qu'elle ferait; la quatrième, qu'elle danserait parfaitement bien; la cinquième qu'elle chanterait comme un rossignol; et la sixième qu'elle jouerait de toutes sortes d'instruments dans la dernière perfection. Le rang de la vieille fée étant venu, elle dit, en branlant la tête encore plus de dépit que de vieillesse, que la princesse se percerait la main d'un fuseau, et qu'elle en mourrait.

Ce terrible don fit frémir toute la compagnie, et il n'y eut personne qui ne pleurât. Dans ce moment, la jeune fée sortit de derrière la tapisserie, et dit tout haut ces paroles:

— Rassurez-vous, roi et reine, votre fille n'en mourra point; il est vrai que je n'ai pas assez de puissance pour défaire entièrement ce que mon ancienne a fait;

la princesse se percera la main d'un fuseau; mais, au lieu d'en mourir, elle tombera seulement dans un profond sommeil, qui durera cent ans, au bout desquels le fils d'un roi viendra la réveiller.

Le roi, pour tâcher d'éviter le malheur annoncé par la vieille, fit publier aussitôt un édit par lequel il défendait à toutes personnes de filer au fuseau, ni d'avoir des fuseaux chez soi, sous peine de mort.

Au bout de quinze ou seize ans, le roi et la reine étant allés à une de leurs maisons de plaisance, il arriva que la jeune princesse, courant un jour dans le château, et montant de chambre en chambre, alla jusqu'au haut d'un donjon, dans un petit galetas où une bonne vieille était seule à filer sa quenouille. Cette bonne femme n'avait point ouï parler des défenses que le roi avait faites de filer au fuseau.

— Que faites-vous là, ma bonne femme? dit la princesse.

— Je file, ma belle enfant, lui répondit la vieille, qui ne la connaissait pas.

— Ah! que cela est joli! reprit la princesse; comment faites-vous? donnez-moi que je voie si j'en ferais bien autant.

Elle n'eut pas plus tôt pris le fuseau, que, comme elle était fort vive, un peu étourdie, et que d'ailleurs l'arrêt des fées l'ordonnait ainsi, elle s'en perça la main et tomba évanouie.

La bonne vieille, bien embarrassée, crie au secours: on vient de tous côtés; on jette de l'eau au visage de la princesse, on la délace, on lui frappe dans les mains, on lui frotte les tempes avec de l'eau de la reine de Hongrie; mais rien ne la faisait revenir.

Alors le roi, qui était monté au bruit, se souvint de la prédiction des fées, et, jugeant bien qu'il fallait que cela arrivât, puisque les fées l'avaient dit, fit mettre la princesse dans un bel appartement du palais, sur un lit en broderie d'or et d'argent. On eût dit un ange, tant elle était belle; car son évanouissement n'avait point ôté les couleurs vives de son teint: ses joues étaient incarnates, et ses lèvres comme du corail; elle avait seulement les yeux fermés, mais on l'entendait respirer doucement: ce qui faisait voir qu'elle n'était pas morte.

Le roi ordonna qu'on la laissât dormir en repos, jusqu'à ce que son heure de se réveiller fût venue. La bonne fée qui lui avait sauvé la vie en la condamnant à dormir cent ans, était dans le royaume de Mataquin, à douze mille lieues de là, lorsque l'accident arriva à la princesse; mais elle en fut avertie, en un instant, par un petit nain qui avait des bottes de sept lieues (c'était des bottes avec lesquelles on faisait sept lieues d'une seule enjambée). La fée partit aussitôt, et on la vit, au bout d'une heure, arriver dans un chariot tout de feu, traîné par des dragons. Le roi alla lui présenter la main à la descente du chariot. Elle approuva tout ce qu'il avait fait; mais, comme elle était grandement prévoyante, elle pensa

31

que, quand la princesse viendrait à se réveiller, elle serait bien embarrassée toute seule dans ce vieux château: voici ce qu'elle fit.

Elle toucha de sa baguette tout ce qui était dans ce château (hors le roi et la reine): gouvernantes, filles d'honneur, femmes de chambre, gentilshommes, officiers, maîtres d'hôtel, cuisiniers, marmitons, galopins, gardes, suisses, pages, valets de pied; elle toucha aussi tous les chevaux qui étaient dans les écuries, avec les palefreniers, les gros mâtins de la basse-cour, et la petite Pouffe, petite chienne de la princesse, qui était auprès d'elle sur son lit. Dès qu'elle les eut touchés, ils s'endormirent tous pour ne se réveiller qu'en même temps que leur maîtresse, afin d'être tout prêts à la servir quand elle en aurait besoin. Les broches mêmes qui étaient au feu, toutes pleines de perdrix et de faisans, s'endormirent, et le feu aussi. Tout cela se fit en un moment: les fées n'étaient pas longues à leur besogne.

Alors le roi et la reine, après avoir baisé leur chère enfant sans qu'elle s'éveillât, sortirent du château, et firent publier des défenses à qui que ce soit d'en approcher. Ces défenses n'étaient pas nécessaires; car il crût dans un quart d'heure, tout autour du parc, une si grande quantité de grands arbres et de petits, de ronces et d'épines entrelacées les unes dans les autres, que bête ni homme n'y aurait pu passer; en sorte qu'on ne voyait plus que le haut des tours du château, encore n'était-ce que de bien loin. On ne douta point que la fée n'eût encore fait là un tour de son métier, afin que la princesse, pendant qu'elle dormirait, n'eût rien à craindre des curieux.

Au bout de cent ans, le fils du roi qui régnait alors, et qui était d'une autre famille que la princesse endormie, étant allé à la chasse de ce côté-là, demanda ce que c'était que ces tours qu'il voyait au-dessus d'un grand bois fort épais. Chacun lui répondit selon qu'il en avait ouï parler: les uns disaient que c'était un vieux château où il revenait des esprits; les autres, que tous les sorciers de la contrée y faisaient leur sabbat. La plus commune opinion était qu'un ogre y demeurait, et que là il emportait tous les enfants qu'il pouvait attraper, pour les pouvoir manger à son aise, et sans qu'on le pût suivre, ayant seul le pouvoir de se faire un passage au travers du bois.

Le prince ne savait qu'en croire, lorsqu'un vieux paysan prit la parole et lui dit:

— Mon prince, il y a plus de cinquante ans que j'ai ouï dire à mon père qu'il y avait dans ce château une princesse, la plus belle du monde; qu'elle y devait dormir cent ans, et qu'elle serait réveillée par le fils d'un roi, à qui elle était réservée.

Le jeune prince, à ce discours, se sentit tout de feu; il crut, sans balancer,

qu'il mettrait fin à une si belle aventure, et, poussé par l'amour et par la gloire, il résolut de voir sur-le-champ ce qui en était. A peine s'avança-t-il vers le bois que tous ces grands arbres, ces ronces et ces épines s'écartèrent d'elles-mêmes pour le laisser passer. Il marcha vers le château qu'il voyait au bout d'une grande avenue où il entra, et, ce qui le surprit un peu, il vit que personne de ses gens ne l'avait pu suivre, parce que les arbres s'étaient approchés dès qu'il avait été passé. Il ne laissa pas de continuer son chemin: un prince jeune et amoureux est toujours vaillant. Il entra dans une grande avant-cour, où tout ce qu'il vit d'abord était capable de le glacer de crainte. C'était un silence affreux: l'image de la mort s'y présentait partout, et ce n'étaient que des corps étendus d'hommes et d'animaux qui paraissaient morts. Il reconnut pourtant bien, au nez bourgeonné et à la face vermeille des suisses, qu'ils n'étaient qu'endormis; et leurs tasses, où il y avait encore quelques gouttes de vin, montraient assez qu'ils s'étaient endormis en buvant.

Il passe une grande cour pavée de marbre; il monte l'escalier; il entre dans la salle des gardes, qui étaient rangés en haie, la carabine sur l'épaule, et ronflant de leur mieux. Il traverse plusieurs chambres, pleines de gentilshommes et de dames, dormant tous, les uns debout, les autres assis. Il entre dans une chambre toute dorée, et il voit sur un lit, dont les rideaux étaient ouverts de tous côtés, le plus beau spectacle qu'il eût jamais vu: une princesse qui paraissait avoir quinze ou seize ans, et dont l'éclat resplendissant avait quelque chose de lumineux et de divin. Il s'approcha en tremblant et en admirant, et se mit à genoux auprès d'elle.

Alors, comme la fin de l'enchantement était venue, la princesse s'éveilla, et, le regardant avec des yeux plus tendres qu'une première vue ne semblait le permettre.

— Est-ce vous, mon prince? lui dit-elle; vous vous êtes bien fait attendre.

Le prince, charmé de ces paroles, et plus encore de la manière dont elles étaient dites, ne savait comment lui témoigner sa joie et sa reconnaissance; il l'assura qu'il l'aimait plus que lui-même. Ses discours furent mal rangés; ils en plurent davantage: peu d'éloquence, beaucoup d'amour. Il était plus embarrassé qu'elle, et l'on ne doit pas s'en étonner: elle avait eu le temps de songer à ce qu'elle aurait à lui dire; car il y a apparence (l'histoire n'en dit pourtant rien) que la bonne fée, pendant un si long sommeil, lui avait procuré le plaisir des songes agréables. Enfin, il y avait quatre heures qu'ils se parlaient, et ils ne s'étaient pas encore dit la moitié des choses qu'ils avaient à se dire.

Cependant tout le palais s'était réveillé avec la princesse: chacun songeait à faire sa charge; et, comme ils n'étaient pas tous amoureux, ils mouraient de faim. La dame d'honneur, pressée comme les autres, s'impatienta, et dit tout

haut à la princesse que la viande était servie. Le prince aida la princesse à se lever: elle était tout habillée, et fort magnifiquement; mais il se garda bien de lui dire qu'elle était habillée comme ma mère-grand, et qu'elle avait un collet monté; elle n'en était pas moins belle.

Ils passèrent dans un salon de miroirs, et y soupèrent, servis par les officiers de la princesse. Les violons et les hautbois jouèrent de vieilles pièces, mais excellentes, quoiqu'il y eût près de cent ans qu'on ne les jouât plus; et, après souper, sans perdre de temps, le grand aumônier les maria dans la chapelle du château, et la dame d'honneur leur tira le rideau. Ils dormirent peu: la princesse n'en avait pas grand besoin, et le prince la quitta, dès le matin, pour retourner à la ville, où son père devait être en peine de lui.

Le prince lui dit qu'en chassant il s'était perdu dans la forêt, et qu'il avait couché dans la hutte d'un charbonnier, qui lui avait fait manger du pain noir et du fromage. Le roi, son père, qui était bonhomme, le crut; mais sa mère n'en fut pas bien persuadée, et voyant qu'il allait presque tous les jours à la chasse, et qu'il avait toujours une raison en main pour s'excuser quand il avait couché deux ou trois nuits dehors, elle ne douta plus qu'il n'eût quelque amourette; car il vécut avec la princesse plus de deux ans entiers, et en eut deux enfants, dont le premier, qui fut une fille, fut nommée *Aurore*, et le second, un fils, qu'on nomma *Jour*, parce qu'il paraissait encore plus beau que sa sœur.

La reine dit plusieurs fois à son fils, pour le faire expliquer, qu'il fallait se contenter dans la vie; mais il n'osa jamais se fier à elle de son secret: il la craignait, quoiqu'il l'aimât, car elle était de race ogresse, et le roi ne l'avait épousée qu'à cause de ses grands biens. On disait même tout bas à la cour qu'elle avait les inclinations des ogres, et qu'en voyant passer de petits enfants, elle avait toutes les peines du monde à se retenir de se jeter sur eux: ainsi le prince ne lui voulut jamais rien dire.

Mais quand le roi fut mort, ce qui arriva au bout de deux ans, et qu'il se vit le maître, il déclara publiquement son mariage, et alla en grande cérémonie quérir la reine sa femme dans son château. On lui fit une entrée magnifique dans la ville capitale, où elle entra au milieu de ses deux enfants.

Quelque temps après, le roi alla faire la guerre à l'empereur Cantalabutte, son voisin. Il laissa la régence du royaume à la reine sa mère, et lui recommanda fort sa femme et ses enfants: il devait être à la guerre tout l'été; et, dès qu'il fut parti, la reine mère envoya sa bru et ses enfants à une maison de campagne dans les bois, pour pouvoir plus aisément assouvir son horrible envie. Elle y alla quelques jours après, et dit un soir à son maître d'hôtel:

— Je veux manger demain à mon dîner la petite Aurore.

— Ah! madame, dit le maître d'hôtel...

— Je le veux, dit la reine (et elle le dit d'un ton d'ogresse qui a envie de manger de la chair fraîche), et je la veux manger à la sauce Robert[1].

Ce pauvre homme, voyant bien qu'il ne fallait pas se jouer à une ogresse, prit son grand couteau, et monta à la chambre de la petite Aurore: elle avait pour lors quatre ans, et vint en sautant et en riant se jeter à son col, et lui demander du bonbon. Il se mit à pleurer: le couteau lui tomba des mains, et il alla dans la basse-cour couper la gorge à un petit agneau, et lui fit une si bonne sauce que sa maîtresse l'assura qu'elle n'avait rien mangé de si bon. Il avait emporté en même temps la petite Aurore, et l'avait donnée à sa femme, pour la cacher dans le logement qu'elle avait au fond de la basse-cour.

Huit jours après, la méchante reine dit à son maître d'hôtel:

— Je veux manger à mon souper le petit Jour.

Il ne repliqua pas, résolu de la tromper comme l'autre fois. Il alla chercher le petit Jour, et le trouva avec un fleuret à la main, dont il faisait des armes avec un gros singe: il n'avait pourtant que trois ans. Il le porta à sa femme, qui le cacha avec la petite Aurore, et donna, à la place du petit Jour, un petit chevreau fort tendre, que l'ogresse trouva admirablement bon.

Cela était fort bien allé jusque-là: mais, un soir, cette méchante reine dit au maître d'hôtel:

— Je veux manger la reine à la même sauce que ses enfants.

Ce fut alors que le pauvre maître d'hôtel désespéra de la pouvoir encore tromper. La jeune reine avait vingt ans passés, sans compter les cent ans qu'elle avait dormi: sa peau était un peu dure, quoique belle et blanche; et le moyen de trouver dans la ménagerie une bête aussi dure que cela? Il prit la résolution, pour sauver sa vie, de couper la gorge à la reine, et monta dans sa chambre dans l'intention de n'en pas faire à deux fois. Il s'excitait à la fureur, et entra, le poignard à la main, dans la chambre de la jeune reine; il ne voulut pourtant point la surprendre, et il lui dit, avec beaucoup de respect, l'ordre qu'il avait reçu de la reine mère.

— Faites votre devoir, lui dit-elle en lui tendant le col; exécutez l'ordre qu'on vous a donné; j'irai revoir mes enfants, mes pauvres enfants, que j'ai tant aimés!

Car elle les croyait morts, depuis qu'on les avait enlevés sans lui rien dire.

— Non, non, madame, lui répondit le pauvre maître d'hôtel, tout attendri, vous ne mourrez point, et vous ne laisserez pas d'aller revoir vos chers enfants; mais ce sera chez moi, où je les ai cachés, et je tromperai encore la reine, en lui faisant manger une jeune biche en votre place.

Il la mena aussitôt à sa chambre, où, la laissant embrasser ses enfants et pleurer

1 Robert, célèbre cuisinier du temps de Louis XIV.

avec eux, il alla accommoder une biche, que la reine mangea à son souper, avec le même appétit que si c'eût été la reine: elle était bien contente de sa cruauté, et elle se préparait à dire au roi, à son retour, que les loups enragés avaient mangé la reine sa femme et ses deux enfants.

Un soir qu'elle rôdait, à son ordinaire, dans les cours et basses-cours du château, pour y flairer quelque viande fraîche, elle entendit dans une salle basse, le petit Jour, qui pleurait, parce que la reine sa mère le voulait faire fouetter, à cause qu'il avait été méchant; et elle entendit aussi la petite Aurore, qui demandait pardon pour son frère. L'ogresse reconnut la voix de la reine et de ses enfants, et, furieuse d'avoir été trompée, elle commanda, dès le lendemain, matin, avec une voix épouvantable qui faisait trembler tout le monde, qu'on apportât au milieu de la cour une grande cuve, qu'elle fit remplir de crapauds, de vipères, de couleuvres et de serpents, pour y faire jeter la reine et ses enfants, le maître d'hôtel, sa femme et sa servante: elle avait donné ordre de les amener les mains liées derrière le dos.

Ils étaient là, et les bourreaux se préparaient à les jeter dans la cuve, lorsque le roi, qu'on n'attendait pas si tôt, entra dans la cour, à cheval; il était venu en poste, et demanda, tout étonné, ce que voulait dire cet horrible spectacle. Personne n'osait l'en instruire, quand l'ogresse, enragée de voir ce qu'elle voyait, se jeta elle-même la tête la première dans la cuve, et fut dévorée en un instant par les vilaines bêtes qu'elle y avait fait mettre. Le roi ne laissa pas d'en être fâché: elle était sa mère; mais il s'en consola bientôt avec sa belle femme et ses enfants.

## MORALITÉ

*Attendre quelque temps pour avoir un époux*
*Riche, bien fait, galant et doux,*
*La chose est assez naturelle;*
*Mais l'attendre cent ans, et toujours en dormant,*
*On ne trouve plus de femelle*
*Qui dormît si tranquillement.*

*La fable semble encor vouloir nous faire entendre*
*Que souvent de l'hymen les agréables nœuds,*
*Pour être différés, n'en sont pas moins heureux,*
*Et qu'on ne perd rien pour attendre.*

*Mais le sexe avec tant d'ardeur*
*Aspire à la foi conjugale,*
*Que je n'ai pas la force ni le cœur*
*De lui prêcher cette morale.*

# LE PETIT CHAPERON ROUGE

Il était une fois une petite fille de village, la plus jolie qu'on eût su voir: sa mère en était folle, et sa mère-grand plus folle encore. Cette bonne femme lui fit faire un petit chaperon rouge qui lui seyait si bien, que partout on l'appelait le Petit Chaperon rouge.

Un jour, sa mère, ayant cuit et fait des galettes, lui dit:

— Va voir comment se porte ta mère-grand, car on m'a dit qu'elle était malade. Porte-lui une galette et ce petit pot de beurre.

Le Petit Chaperon rouge partit aussitôt pour aller chez sa mère-grand, qui demeurait dans un autre village. En passant dans un bois, elle rencontra compère le Loup, qui eut bien envie de la manger; mais il n'osa, à cause de quelques bûcherons qui étaient dans la forêt. Il lui demanda où elle allait. La pauvre enfant, qui ne savait pas qu'il était dangereux de s'arrêter à écouter un loup, lui dit:

— Je vais voir ma mère-grand, et lui porter une galette, avec un petit pot de beurre, que ma mère lui envoie.

— Demeure-t-elle bien loin? lui dit le Loup.

— Oh! oui, dit le Petit Chaperon rouge; c'est par delà le moulin que vous voyez tout là-bas, à la première maison du village.

— Eh bien! dit le Loup, je veux l'aller voir aussi, je m'y en vais par ce chemin-ci, et toi par ce chemin-là; et nous verrons à qui plus tôt y sera.

Le Loup se mit à courir de toute sa force par le chemin qui était le plus court, et la petite fille s'en alla par le chemin le plus long, s'amusant à cueillir des noisettes, à courir après des papillons, et à faire des bouquets des petites fleurs qu'elle rencontrait.

Le Loup ne fut pas longtemps à arriver à la maison de la mère-grand; il heurte: toc, toc.

— Qui est là?

— C'est votre fille, le Petit Chaperon rouge, dit le Loup en contrefaisant sa voix, qui vous apporte une galette et un petit pot de beurre, que ma mère vous envoie.

La bonne mère-grand, qui était dans son lit, à cause qu'elle se trouvait un peu mal, lui cria:

— Tire la chevillette, la bobinette cherra.

Le Loup tira la chevillette, et la porte s'ouvrit. Il se jeta sur la bonne femme, et la dévora en moins de rien, car il y avait plus de trois jours qu'il n'avait mangé. Ensuite il ferma la porte, et s'alla coucher dans le lit de la mère-grand, en attendant le Petit Chaperon rouge, qui, quelque temps après, vint heurter à la porte: toc, toc:

— Qui est là?

Le Petit Chaperon rouge, qui entendit la grosse voix du Loup, eut peur d'abord, mais, croyant que sa grand-mère était enrhumée, répondit:

— C'est votre fille, le Petit Chaperon rouge, qui vous apporte une galette et un petit pot de beurre, que ma mère vous envoie.

Le Loup lui cria en adoucissant un peu sa voix:

— Tire la chevillette, la bobinette cherra.

Le Petit Chaperon rouge tira la chevillette, et la porte s'ouvrit.

Le Loup, la voyant entrer, lui dit en se cachant dans le lit, sous la couverture:

— Mets la galette et le petit pot de beurre sur la huche, et viens te coucher avec moi.

Le Petit Chaperon rouge se déshabille, et va se mettre dans le lit, où elle fut bien étonnée de voir comment sa mère-grand était faite en son déshabillé. Elle lui dit:

— Ma mère-grand, que vous avez de grands bras!

— C'est pour mieux t'embrasser, ma fille!

— Ma mère-grand, que vous avez de grandes jambes!

— C'est pour mieux courir, mon enfant!

— Ma mère-grand, que vous avez de grandes oreilles!

— C'est pour mieux écouter, mon enfant!

— Ma mère-grand, que vous avez de grands yeux!

— C'est pour mieux te voir, mon enfant!

— Ma mère-grand, que vous avez de grandes dents!

— C'est pour te manger!

Et, en disant ces mots, le méchant Loup se jeta sur le Petit Chaperon rouge, et la mangea.

## MORALITÉ

*On voit ici que de jeunes enfants,*
   *Surtout de jeunes filles,*
  *Belles, bien faites et gentilles*
*Font très mal d'écouter toutes sortes de gens,*
  *Et que ce n'est pas chose étrange,*
   *S'il en est tant que le loup mange.*
   *Je dis le loup, car tous les loups*
   *Ne sont pas de la même sorte:*
   *Il en est d'une humeur accorte,*
   *Sans bruit, sans fiel et sans courroux,*
   *Qui, privés, complaisants et doux,*
   *Suivent les jeunes demoiselles*
*Jusque dans les maisons, jusque dans les ruelles.*
*Mais, hélas! qui ne sait que ces loups doucereux,*
*De tous les loups sont les plus dangereux!*

# LA BARBE - BLEUE

Il était une fois un homme qui avait de belles maisons à la ville et à la campagne, de la vaisselle d'or et d'argent, des meubles en broderies, et des carrosses tout dorés. Mais, par malheur, cet homme avait la barbe bleue: cela le rendait si laid et si terrible, qu'il n'tait ni femme ni fille qui ne s'enfuît de devant lui.

Une de ses voisines, dame de qualité, avait deux filles parfaitement belles. Il lui en demanda une en mariage, et lui laissa le choix de celle qu'elle voudrait lui donner. Elles n'en voulaient point toutes deux, et se le renvoyaient l'une à l'autre, ne pouvant se résoudre à prendre un homme qui eût la barbe bleue. Ce qui les dégoûtait encore, c'est qu'il avait déjà épousé plusieurs femmes, et qu'on ne savait ce que ces femmes étaient devenues.

La Barbe-Bleue, pour faire connaissance, les mena, avec leur mère et trois ou quatre de leurs meilleures amies et quelques jeunes gens du voisinage, à une de ses maisons de campagne, où on demeura huit jours entiers. Ce n'étaient que promenades, que parties de chasse et de pêche, que danses et festins, que collations: on ne dormait point et on passait toute la nuit à se faire des malices les uns aux autres; enfin tout alla si bien que la cadette commença à trouver que le maître du logis n'avait plus la barbe si bleue, et que c'était un fort honnête homme. Dès qu'on fut de retour à la ville, le mariage se conclut.

Au bout d'un mois, la Barbe-Bleue dit à sa femme qu'il était obligé de faire un voyage en province, de six semaines au moins, pour une affaire de conséquence; qu'il la priait de se bien divertir pendant son absence; qu'elle fît venir ses bonnes amies; qu'elle les menât à la campagne, si elle voulait; que partout elle fît bonne chère.

— Voilà, dit-il, les clefs des deux grands garde-meubles; voilà celles de la vaisselle d'or et d'argent, qui ne sert pas tous les jours; voilà celles de mes coffres-forts où est mon or et mon argent; celles des cassettes où sont mes pierreries, et voilà le passe-partout de tous les appartements. Pour cette petite clef-ci, c'est la clef du cabinet au bout de la grande galerie de l'appartement bas: ouvrez tout, allez partout; mais, pour ce petit cabinet, je vous défends d'y entrer, et je vous le défends de telle sorte que s'il vous arrive de l'ouvrir, il n'y a rien que vous ne deviez attendre de ma colère.

Elle promit d'observer exactement tout ce qui lui venait d'être ordonné, et lui, après l'avoir embrassée, il monte dans son carrosse, et part pour son voyage.

Les voisines et les bonnes amies n'attendirent pas qu'on les envoyât quérir pour aller chez la jeune mariée, tant elles avaient d'impatience de voir toutes les richesses de sa maison, n'ayant osé y venir pendant que le mari y était, à cause de sa barbe bleue, qui leur faisait peur. Les voilà aussitôt à parcourir les cham-

44

bres, les cabinets, les garde-robes, toutes plus belles et plus riches les unes que les autres. Elles montèrent ensuite aux garde-meubles, où elles ne pouvaient assez admirer le nombre et la beauté des tapisseries, des lits, des sofas, des cabinets, des guéridons, des tables et des miroirs où l'on se voyait depuis les pieds jusqu'à la tête, et dont les bordures, les unes de glace, les autres d'argent et de vermeil doré, étaient les plus belles et les plus magnifiques qu'on eût jamais vues. Elles ne cessaient d'exagérer et d'envier le bonheur de leur amie, qui, cependant, ne se divertissait point à voir toutes ces richesses, à cause de l'impatience qu'elle avait d'aller ouvrir le cabinet de l'appartement bas.

Elle fut si pressée de sa curiosité, que, sans considérer qu'il était malhonnête de quitter sa compagnie, elle y descendit par un petit escalier dérobé, et avec tant de précipitation qu'elle pensa se rompre le cou deux ou trois fois. Etant arrivée à la porte du cabinet, elle s'y arrêta quelque temps, songeant à la défense que son mari lui avait faite, et considérant qu'il pourrait lui arriver malheur d'avoir été désobéissante; mais la tentation était si forte qu'elle ne put la surmonter: elle prit donc la petite clef, et ouvrit en tremblant la porte du cabinet.

D'abord elle ne vit rien, parce que les fenêtres étaient fermées. Après quelques moments, elle commença à voir que le plancher était tout couvert de sang caillé, et que, dans ce sang, se miraient les corps de plusieurs femmes mortes et attachées le long des murs: c'était toutes les femmes que la Barbe-Bleue avait épousées, et qu'il avait égorgées l'une après l'autre. Elle pensa mourir de peur, et la clef du cabinet, qu'elle venait de retirer de la serrure, lui tomba de la main.

Après avoir un peu repris ses sens, elle ramassa la clef, referma la porte, et monta à sa chambre pour se remettre un peu; mais elle n'en pouvait venir à bout, tant elle était émue.

Ayant remarqué que la clef du cabinet était tachée de sang, elle l'essuya deux ou trois fois; mais le sang ne s'en allait point: elle eut beau la laver, et même la frotter avec du sablon et avec du grès, il demeura toujours du sang, car la clef était fée, et il n'y avait pas moyen de la nettoyer tout à fait: quand on ôtait le sang d'un côté, il revenait de l'autre.

La Barbe-Bleue revint de son voyage dès le soir-même, et dit qu'il avait reçu des lettres, dans le chemin, qui lui avaient appris que l'affaire pour laquelle il était parti venait d'être terminée à son avantage. Sa femme fit tout ce qu'elle put pour lui témoigner qu'elle était ravie de son prompt retour.

Le lendemain, il lui redemanda les clefs; et elle les lui donna, mais d'une main si tremblante, qu'il devina sans peine tout ce qui s'était passé.

— D'où vient, lui dit-il, que la clef du cabinet n'est point avec les autres?

— Il faut, dit-elle, que je l'aie laissée là-haut sur ma table.

— Ne manquez pas, dit la Barbe-Bleue, de me la donner tantôt.

Après plusieurs remises, il fallut apporter la clef. La Barbe-Bleue, l'ayant considérée, dit à sa femme:

— Pourquoi y a-t-il du sang sur cette clef?

— Je n'en sais rien, répondit la pauvre femme, plus pâle que la mort.

— Vous n'en savez rien! reprit la Barbe-Bleue; je le sais bien, moi. Vous avez voulu entrer dans le cabinet! Eh bien, madame, vous y entrerez et irez prendre votre place auprès des dames que vous y avez vues.

Elle se jeta aux pieds de son mari en pleurant, et en lui demandant pardon, avec toutes les marques d'un vrai repentir, de n'avoir pas été obéissante. Elle aurait attendri un rocher, belle et affligée comme elle était; mais la Barbe-Bleue avait le cœur plus dur qu'un rocher.

— Il faut mourir, madame, lui dit-il, et tout à l'heure.

— Puisqu'il faut mourir, répondit-elle en le regardant les yeux baignés de larmes, donnez-moi un peu de temps pour prier Dieu.

— Je vous donne un demi-quart d'heure, reprit la Barbe-Bleue; mais pas un moment davantage.

Lorsqu'elle fut seule, elle appela sa sœur, et lui dit:

— Ma sœur Anne, car elle s'appelait ainsi, monte, je te prie, sur le haut de la tour pour voir si mes frères ne viennent point: ils m'ont promis qu'ils me viendraient voir aujourd'hui; et, si tu les vois, fais-leur signe de se hâter.

La sœur Anne monta sur le haut de la tour; et la pauvre affligée lui criait de temps en temps:

— Anne, ma sœur Anne, ne vois-tu rien venir?

Et la sœur Anne, lui répondait:

— Je ne vois rien que le soleil qui poudroie, et l'herbe qui verdoie.

Cependant, la Barbe-Bleue, tenant un grand coutelas à sa main, criait de toute sa force à sa femme:

— Descends vite ou je monterai là-haut.

— Encore un moment, s'il vous plaît, lui répondait sa femme. Et aussitôt elle criait tout bas:

— Anne, ma sœur Anne, ne vois-tu rien venir?

Et la sœur Anne répondait:

— Je ne vois rien que le soleil qui poudroie, et l'herbe qui verdoie.

— Descends donc vite, criait la Barbe-Bleue, où je monterai là-haut.

— Je m'en vais, répondait la femme; et puis elle criait:

— Anne, ma sœur Anne, ne vois-tu rien venir?

— Je vois, répondit la sœur Anne, une grosse poussière qui vient de ce côté-ci...

— Sont-ce mes frères?

— Hélas! non, ma sœur: c'est un troupeau de moutons...

— Ne veux-tu pas descendre? criait la Barbe-Bleue.

— Encore un moment, répondait sa femme; et puis elle criait:

— Anne, ma sœur Anne, ne vois-tu rien venir?

— Je vois, répondit-elle, deux cavaliers qui viennent de ce côté-ci, mais ils sont bien loin encore.

— Dieu soit loué! s'écria-t-elle un moment après, ce sont mes frères. Je leur fais signe tant que je puis de se hâter.

La Barbe-Bleue se mit à crier si fort que toute la maison en trembla. La pauvre femme descendit, et alla se jeter à ses pieds tout épleurée et tout échevelée.

— Cela ne sert à rien, dit la Barbe-Bleue; il faut mourir.

Puis, la prenant d'une main par les cheveux, et de l'autre, levant le coutelas en l'air, il allait lui abattre la tête. La pauvre femme, se tournant vers lui, et le regardant avec des yeux mourants, le pria de lui donner un petit moment pour se recueillir.

— Non, non, dit-il, recommande-toi bien à Dieu; et, levant son bras...

Dans ce moment, on heurta si fort à la porte que la Barbe-Bleue s'arrêta tout court. On l'ouvrit, et aussitôt on vit entrer deux cavaliers, qui, mettant l'épée à la main, coururent droit à la Barbe-Bleue.

Il reconnut que c'étaient les frères de sa femme, l'un dragon et l'autre mousquetaire, de sorte qu'il s'enfuit aussitôt pour se sauver; mais les deux frères le poursuivirent de si près qu'ils l'attrapèrent avant qu'il pût gagner le perron. Ils lui passèrent leur épée au travers du corps, et le laissèrent mort. La pauvre femme était presque aussi morte que son mari, et n'avait pas la force de se lever pour embrasser ses frères.

Il se trouva que la Barbe-Bleue n'avait point d'héritiers, et qu'ainsi sa femme demeura maîtresse de tous ses biens. Elle en employa une partie à marier sa sœur Anne avec un jeune gentilhomme dont elle était aimée depuis longtemps; une autre partie à acheter des charges de capitaines à ses deux frères, et le reste à se marier elle-même à un fort honnête homme, qui lui fit oublier le mauvais temps qu'elle avait passé avec la Barbe-Bleue.

## MORALITÉ

*La curiosité, malgré tous ses attraits,*
     *Coûte souvent bien des regrets;*
*On en voit, tous les jours, mille exemples paraître.*
*C'est, n'en déplaise au sexe, un plaisir bien léger;*
       *Dès qu'on le prend, il cesse d'être*
       *Et toujours il coûte trop cher.*


## AUTRE MORALITÉ

     *Pour peu qu'on ait l'esprit sensé*
*Et que du monde on sache le grimoire,*
     *On voit bientôt que cette histoire*
     *Est un conte du temps passé.*
     *Il n'est plus d'époux si terrible,*
     *Ni qui demande l'impossible,*
     *Fût-il malcontent et jaloux.*
     *Près de sa femme on le voit filer doux;*
*Et, de quelque couleur que sa barbe puisse être,*
*On a peine à juger qui des deux est le maître.*

# LE CHAT BOTTÉ OU LE MAITRE CHAT

Un meunier ne laissa pour tous biens, à trois enfants qu'il avait, que son moulin, son âne et son chat. Les partages furent bientôt faits; ni le notaire, ni le procureur n'y furent point appelés. Ils auraient eu bientôt mangé tout le pauvre patrimoine. L'aîné eut le moulin, le second eut l'âne, et le plus jeune n'eut que le chat.

Ce dernier ne pouvait se consoler d'avoir un si pauvre lot:

— Mes frères, disait-il, pourront gagner leur vie honnêtement en se mettant ensemble; pour moi, lorsque j'aurai mangé mon chat, et que je me serai fait un manchon de sa peau, il faudra que je meure de faim.

Le chat, qui entendait ce discours, mais qui n'en fit pas semblant, lui dit d'un air posé et sérieux:

— Ne vous affligez point, mon maître, vous n'avez qu'à me donner un sac et me faire faire une paire de bottes pour aller dans les broussailles, et vous verrez que vous n'êtes pas si mal partagé que vous croyez.

Quoique le maître du Chat ne fît pas grand fond là-dessus, il lui avait vu faire tant de tours de souplesse pour prendre des rats et des souris, comme quand il se pendait par les pieds, ou qu'il se cachait dans la farine pour faire le mort, qu'il ne désespéra pas d'en être secouru dans sa misère.

Lorsque le Chat eut ce qu'il avait demandé, il se botta bravement, et, mettant son sac à son cou, il en prit les cordons avec ses deux pattes de devant, et s'en alla dans une garenne où il y avait grand nombre de lapins. Il mit du son et des laiterons dans son sac, et, s'étendant comme s'il eût été mort, il attendit que quelque jeune lapin, peu instruit encore des ruses de ce monde, vînt se fourrer dans son sac pour manger ce qu'il y avait mis.

A peine fut-il couché, qu'il eut contentement: un jeune étourdi de lapin entra dans son sac, et le maître Chat, tirant aussitôt les cordons, le prit et le tua sans miséricorde.

Tout glorieux de sa proie, il s'en alla chez le roi et demanda à lui parler. On le fit monter à l'appartement de Sa Majesté, où étant entré, il fit une grande révérence au roi, et lui dit:

— Voilà, sire, un lapin de garenne que monsieur le marquis de Carabas (c'était le nom qu'il lui prit en gré de donner à son maître) m'a chargé de vous présenter de sa part.

— Dis à ton maître, répondit le roi, que je le remercie et qu'il me fait plaisir.

Une autre fois, il alla se cacher dans un blé, tenant toujours son sac ouvert, et, lorsque deux perdrix y furent entrées, il tira les cordons et les prit toutes deux. Il alla ensuite les présenter au roi, comme il avait fait du lapin de garenne. Le roi reçut encore avec plaisir les deux perdrix, et lui fit donner pour boire.

Le Chat continua ainsi, pendant deux ou trois mois, à porter de temps en temps, au roi du gibier de la chasse de son maître. Un jour qu'il sut que le roi devait aller à la promenade, sur le bord de la rivière, avec sa fille, la plus belle princesse du monde, il dit à son maître:

— Si vous voulez suivre mon conseil, votre fortune est faite: vous n'avez qu'à vous baigner dans la rivière, à l'endroit que je vous montrerai, et ensuite me laisser faire.

Le marquis de Carabas fit ce que son chat lui conseillait, sans savoir à quoi cela serait bon. Dans le temps qu'il se baignait, le roi vint à passer, et le Chat se mit à crier de toute sa force:

— Au secours! au secours! voilà monsieur le marquis de Carabas qui se noie!

A ce cri, le roi mit la tête à la portière, et, reconnaissant le Chat qui lui avait apporté tant de fois du gibier, il ordonna à ses gardes qu'on allât vite au secours de monsieur le marquis de Carabas.

Pendant qu'on retirait le pauvre marquis de la rivière, le Chat s'approcha du carrosse et dit au roi, que dans le temps que son maître se baignait, il était venu des voleurs qui avaient emporté ses habits, quoiqu'il eût crié *au voleur!* de toute sa force: le drôle les avait cachés sous une grosse pierre.

Le roi ordonna aussitôt aux officiers de sa garde-robe d'aller quérir un de ses plus beaux habits pour monsieur le marquis de Carabas. Le roi lui fit mille caresses, et, comme les beaux habits qu'on venait de lui donner relevaient sa bonne mine (car il était beau et bien fait de sa personne), la fille du roi le trouva fort à son gré, et le marquis de Carabas ne lui eut pas jeté deux ou trois regards, fort respectueux et un peu tendres, qu'elle en devint amoureuse à la folie.

Le roi voulut qu'il montât dans son carrosse et qu'il fût de la promenade. Le chat, ravi de voir que son dessein commençait à réussir, prit les devants, et, ayant rencontré des paysans qui fauchaient un pré, il leur dit:

— Bonnes gens qui fauchez, si vous ne dites au roi que le pré que vous fauchez appartient à monsieur le marquis de Carabas, vous serez tous hachés menu comme chair à pâté.

Le roi ne manqua pas à demander aux faucheurs à qui était ce pré qu'ils fauchaient:

— C'est à monsieur le marquis de Carabas, dirent-ils tous ensemble; car la menace du chat leur avait fait peur.

— Vous avez là un bel héritage, dit le roi au marquis de Carabas.

— Vous voyez, sire, répondit le marquis; c'est un pré qui ne manque point de rapporter abondamment toutes les années.

Le maître Chat, qui allait toujours devant, rencontra des moissonneurs et leur dit:

— Bonnes gens qui moissonnez, si vous ne dites que tous ces blés appartiennent à monsieur le marquis de Carabas, vous serez tous hachés menu comme chair à pâté.

Le roi, qui passa un moment après, voulut savoir à qui appartenaient tous les blés qu'il voyait.

— C'est à monsieur le marquis de Carabas, répondirent les moissonneurs; et le roi s'en réjouit encore avec le marquis.

Le Chat, qui allait devant le carrosse, disait toujours la même chose à tous ceux qu'il rencontrait, et le roi était étonné des grands biens de monsieur le marquis de Carabas.

Le maître Chat arriva enfin dans un beau château, dont le maître était un ogre, le plus riche qu'on ait jamais vu; car toutes les terres par où le roi avait passé étaient de la dépendance de ce château. Le Chat, qui eut soin de s'informer qui était cet ogre et ce qu'il savait faire, demanda à lui parler, disant qu'il n'avait pas voulu passer si près de son château sans avoir l'honneur de lui faire la révérence.

L'ogre le reçut aussi civilement que le peut un ogre et le fit reposer.

— On m'a assuré, dit le Chat, que vous aviez le don de vous changer en toutes sortes d'animaux; que vous pouviez, par exemple, vous transformer en lion, en éléphant.

— Cela est vrai, répondit l'ogre brusquement, et, pour vous le montrer, vous m'allez voir devenir lion.

Le Chat fut si effrayé de voir un lion devant lui, qu'il gagna aussitôt les gouttières, non sans peine et sans péril, à cause de ses bottes, qui ne valaient rien pour marcher sur les tuiles.

Quelque temps après, le Chat, ayant vu que l'ogre avait quitté sa première forme, descendit et avoua qu'il avait eu bien peur.

— On m'a assuré encore, dit le Chat, mais je ne saurais le croire, que vous aviez aussi le pouvoir de prendre la forme des plus petits animaux, par exemple de vous changer en un rat, en une souris: Je vous avoue que je tiens cela tout à fait impossible.

— Impossible! reprit l'ogre; vous allez voir.

Et en même temps il se changea en une souris, qui se mit à courir sur le plancher. Le Chat ne l'eut pas plus tôt aperçue, qu'il se jeta dessus et la mangea.

Cependant le roi, qui vit en passant le beau château de l'ogre, voulut entrer dedans. Le Chat, qui entendit le bruit du carrosse, qui passait sur le pont-levis, courut au-devant et dit au roi:

— Votre Majesté soit la bienvenue dans ce château de monsieur le marquis de Carabas!

— Comment, monsieur le marquis, s'écria le roi, ce château est encore à vous! il ne se peut rien de plus beau que cette cour et que tous ces bâtiments qui l'environnent; voyons les dedans, s'il vous plaît.

Le marquis donna la main à la jeune princesse, et suivant le roi, qui montait le premier, ils entrèrent dans une grande salle, où ils trouvèrent une magnifique collation que l'ogre avait fait préparer pour ses amis, qui le devaient venir voir ce même jour-là, mais qui n'avaient pas osé entrer, sachant que le roi y était. Le roi, charmé des bonnes qualités de monsieur le marquis de Carabas, de même que sa fille, qui en était folle, et voyant les grands biens qu'il possédait, lui dit, après avoir bu cinq ou six coups:

— Il ne tiendra qu'à vous, monsieur le marquis, que vous ne soyez mon gendre.

Le marquis, faisant de grandes révérences, accepta l'honneur que lui faisait le roi, et, dès le même jour, il épousa la princesse. Le Chat devint grand seigneur, et ne courut plus après les souris que pour se divertir.

## MORALITÉ

*Quelque grand que soit l'avantage*
*De jouir d'un riche héritage*
*Venant à nous de père en fils,*
*Aux jeunes gens, pour l'ordinaire,*
*L'industrie et le savoir-faire*
*Valent mieux que des biens acquis.*


## AUTRE MORALITÉ

*Si le fils d'un meunier, avec tant de vitesse,*
*Gagne le cœur d'une princesse,*
*Et s'en fait regarder avec des yeux mourants;*
*C'est que l'habit, la mine et la jeunesse,*
*Pour inspirer de la tendresse,*
*N'en sont pas des moyens toujours indifférents.*

# LES FÉES

Il était une fois une veuve qui avait deux filles: l'aînée lui ressemblait si fort d'humeur et de visage, que, qui la voyait, voyait la mère. Elles étaient toutes deux si désagréables et si orgueilleuses, qu'on ne pouvait vivre avec elles. La cadette, qui était le vrai portait de son père pour la douceur et l'honnêteté, était avec cela une des plus belles filles qu'on eût su voir. Comme on aime naturellement son semblable, cette mère était folle de sa fille aînée et, en même temps, avait une aversion effroyable pour la cadette. Elle la faisait manger à la cuisine et travailler sans cesse.

Il fallait, entre autres choses, que cette pauvre enfant allât, deux fois le jour, puiser de l'eau à une grande demi-lieue du logis, et qu'elle en rapportât plein une grande cruche. Un jour qu'elle était à cette fontaine, il vint à elle une pauvre femme qui la pria de lui donner à boire.

— Oui-dà, ma bonne mère, dit cette belle fille.

Et, rinçant aussitôt sa cruche, elle puisa de l'eau au plus bel endroit de la fontaine et la lui présenta, soutenant toujours la cruche, afin qu'elle bût plus aisément.

La bonne femme, ayant bu, lui dit:

— Vous êtes si belle, si bonne et si honnête, que je ne puis m'empêcher de vous faire un don; car c'était une fée qui avait pris la forme d'une pauvre femme de village, pour voir jusqu'où irait l'honnêteté de cette jeune fille. Je vous donne pour don, poursuivit la fée qu'à chaque parole que vous direz, il vous sortira de la bouche ou une fleur, ou une pierre précieuse.

Lorsque cette belle fille arriva au logis, sa mère la gronda de revenir si tard de la fontaine.

— Je vous demande pardon, ma mère, dit cette pauvre fille, d'avoir tardé si longtemps.

Et, en disant ces mots, il lui sortit de la bouche deux roses, deux perles et deux gros diamants.

— Que vois-je là! dit sa mère tout étonnée; je crois qu'il lui sort de la bouche des perles et des diamants. D'où vient cela, ma fille? (Ce fut là la première fois qu'elle l'appela sa fille).

La pauvre enfant lui raconta naïvement tout ce qui lui était arrivé, non sans jeter une infinité de diamants.

— Vraiment, dit la mère, il faut que j'y envoie ma fille. Tenez, Fanchon, voyez ce qui sort de la bouche de votre sœur quand elle parle; ne seriez-vous pas bien aise d'avoir le même don? Vous n'avez qu'à aller puiser de l'eau à la fon-

taine, et, quand une pauvre femme vous demandera à boire, lui en donner bien honnêtement.

— Il me ferait beau voir, répondit la brutale, aller à la fontaine!

— Je veux que vous y alliez, reprit la mère, et tout à l'heure.

Elle y alla, mais toujours en grondant. Elle prit le plus beau flacon d'argent qui fût dans le logis. Elle ne fut pas plus tôt arrivée à la fontaine, qu'elle vit sortir du bois une dame magnifiquement vêtue, qui vint lui demander à boire. C'était la même fée qui avait apparu à sa sœur, mais qui avait pris l'air et les habits d'une princesse, pour voir jusqu'où irait la malhonnêteté de cette fille.

— Est-ce que je suis ici venue, lui dit cette brutale orgueilleuse, pour vous donner à boire! Justement j'ai apporté un flacon d'argent tout exprès pour donner à boire à Madame? J'en suis d'avis: buvez à même si vous voulez.

— Vous n'êtes guère honnête, reprit la fée, sans se mettre en colère. Eh bien! puisque vous êtes si peu obligeante, je vous donne pour don qu'à chaque parole que vous direz, il vous sortira de la bouche ou un serpent, ou un crapaud.

D'abord que sa mère l'aperçut, elle lui cria:

— Eh bien! ma fille!

— Eh bien! ma mère! lui répondit la brutale, en jetant deux vipères et deux crapauds.

— O ciel, s'écria la mère, que vois-je là? C'est sa sœur qui en est cause: elle me le paiera.

Et aussitôt elle courut pour la battre.

La pauvre enfant s'enfuit et alla se sauver dans la forêt prochaine. Le fils du roi, qui revenait de la chasse, la rencontra et, la voyant si belle, lui demanda ce qu'elle faisait là toute seule et ce qu'elle avait à pleurer!

— Hélas! Monsieur, c'est ma mère qui m'a chassée du logis!

Le fils du roi, qui vit sortir de sa bouche cinq ou six perles et autant de diamants, la pria de lui dire d'où cela lui venait. Elle lui conta toute son aventure. Le fils du roi en devint amoureux; et, considérant qu'un tel don valait mieux que tout ce qu'on pouvait donner en mariage à une autre, l'emmena au palais du roi son père, où il l'épousa.

Pour sa sœur, elle se fit tant haïr, que sa propre mère la chassa de chez elle; et la malheureuse, après avoir bien couru sans trouver personne qui voulût la recevoir, alla mourir au coin d'un bois.

## MORALITÉ

*Les diamants et les pistoles(1)*
*Peuvent beaucoup sur les esprits;*
*Cependant les douces paroles*
*Ont encor plus de force, et sont d'un plus grand prix.*

## AUTRE MORALITÉ

*L'honnêteté coûte des soins,*
*Et veut un peu de complaisance;*
*Mais tôt ou tard, elle a sa récompense,*
*Et souvent dans le temps qu'on y pense le moins.*

[1] Pièces d'argent

# CENDRILLON
# OU LA PETITE PANTOUFLE
# DE VERRE

Il était une fois un gentilhomme qui épousa, en secondes noces, une femme, la plus hautaine et la plus fière qu'on eût jamais vue. Elle avait deux filles de son humeur, et qui lui ressemblaient en toutes choses. Le mari avait, de son côté, une jeune fille, mais d'une douceur et d'une bonté sans exemple: elle tenait cela de sa mère, qui était la meilleure personne du monde.

Les noces ne furent pas plus tôt faites que la belle-mère fit éclater sa mauvaise humeur: elle ne put souffrir les bonnes qualités de cette jeune enfant, qui rendaient ses filles encore plus haïssables. Elle la chargea des plus viles occupations de la maison: c'était elle qui nettoyait la vaisselle et les montées(1), qui frottait la chambre de madame et celles de mesdemoiselles ses filles; elle couchait tout au haut de la maison, dans un grenier, sur une méchante paillasse, pendant que ses sœurs étaient dans des chambres parquetées, où elles avaient des lits des plus à la mode, et des miroirs où elles se voyaient depuis les pieds jusqu'à la tête. La pauvre fille souffrait tout avec patience et n'osait s'en plaindre à son père, qui l'aurait grondée, parce que sa femme le gouvernait entièrement.

Lorsqu'elle avait fait son ouvrage, elle s'allait mettre au coin de la cheminée, et s'asseoir dans les cendres, ce qui faisait qu'on l'appelait communément dans le logis *Cucendron*. La cadette, qui n'était pas si malhonnête que son aînée, l'appelait *Cendrillon*. Cependant Cendrillon, avec ses méchants habits, ne laissait pas d'être cent fois plus belle que ses sœurs, quoique vêtues très magnifiquement.

Il arriva que le fils du roi donna un bal et qu'il en pria toutes les personnes de qualité. Nos deux demoiselles en furent aussi priées, car elles faisaient grande figure dans le pays. Les voilà bien aises et bien occupées à choisir les habits et les coiffures qui leur siéraient le mieux. Nouvelle peine pour Cendrillon, car c'était elle qui repassait le linge de ses sœurs et qui godronnait(2) leurs manchettes. On ne parlait que de la manière dont on s'habillerait.

— Moi, dit l'aînée, je mettrai mon habit de velours rouge et ma garniture d'Angleterre.

— Moi, dit la cadette, je n'aurai que ma jupe ordinaire; mais, en récompense, je mettrai mon manteau à fleurs d'or et ma barrière de diamants, qui n'est pas des plus indifférentes.

---

1 Seaux, brocs, et tout ce qui sert à transporter l'eau.
2 Former des plis avec un fer spécial.

On envoya quérir la bonne coiffeuse pour dresser les cornettes à deux rangs, et on fit acheter des mouches de la bonne faiseuse. Elles appelèrent Cendrillon pour lui demander son avis, car elle avait le goût bon. Cendrillon les conseilla le mieux du monde, et s'offrit même à les coiffer; ce qu'elles voulurent bien.

En les coiffant, elles lui disaient:

— Cendrillon, serais-tu bien aise d'aller au bal?

— Hélas, mesdemoiselles, vous vous moquez de moi: ce n'est pas là ce qu'il me faut.

— Tu as raison, on rirait bien, si on voyait un Cucendron aller au bal.

Une autre que Cendrillon les aurait coiffées de travers; mais elle était bonne, et elle les coiffa parfaitement bien. Elles furent près de deux jours sans manger, tant elles étaient transportées de joie. On rompit plus de douze lacets, à force de les serrer pour leur rendre la taille plus menue, et elles étaient toujours devant le miroir.

Enfin l'heureux jour arriva; on partit, et Cendrillon les suivit des yeux le plus longtemps qu'elle put. Lorsqu'elle ne les vit plus, elle se mit à pleurer. Sa marraine, qui la vit tout en pleurs, lui demanda ce qu'elle avait.

— Je voudrais bien... je voudrais bien...

Elle pleurait si fort qu'elle ne put achever. Sa marraine, qui était fée, lui dit:

— Tu voudrais bien aller au bal, n'est-ce pas?

— Hélas! oui, dit Cendrillon en soupirant.

— Eh bien! seras-tu bonne fille? dit sa marraine, je t'y ferai aller.

Elle la mena dans sa chambre, et lui dit:

— Va dans le jardin, et apporte-moi une citrouille.

Cendrillon alla aussitôt cueillir la plus belle qu'elle put trouver, et la porta à sa marraine, ne pouvant deviner comment cette citrouille la pourrait faire aller au bal. Sa marraine la creusa et, n'ayant laissé que l'écorce, la frappa de sa baguette, et la citrouille fut aussitôt changée en un beau carrosse tout doré.

Ensuite elle alla regarder dans la souricière, où elle trouva six souris toutes en vie. Elle dit à Cendrillon de lever un peu la trappe de la souricière, et, à chaque souris qui sortait, elle lui donnait un coup de sa baguette, et la souris était aussitôt changée en un beau cheval: ce qui fit un bel attelage de six chevaux, d'un beau gris de souris pommelé.

Comme elle était en peine de quoi elle ferait un cocher:

— Je vais voir, dit Cendrillon, s'il n'y a pas quelque rat dans la ratière, nous en ferons un cocher.

— Tu as raison, dit sa marraine, va voir. Cendrillon lui apporta la ratière, où il y avait trois gros rats.

La fée en prit un d'entre les trois, à cause de sa maîtresse barbe, et, l'ayant touché, il fut changé en un gros cocher, qui avait une des plus belles moustaches qu'on ait jamais vues.

Ensuite elle lui dit:

— Va dans le jardin, tu y trouveras six lézards derrière l'arrosoir: apporte-les moi.

Elle ne les eut pas plutôt apportés, que sa marraine les changea en six laquais, qui montèrent aussitôt derrière le carrosse, avec leurs habits chamarrés, et qui s'y tenaient attachés comme s'ils n'eussent fait autre chose de toute leur vie.

La fée dit alors à Cendrillon:

— Eh bien! voilà, de quoi aller au bal: n'est-tu pas bien aise?

— Oui, mais est-ce que j'irai comme cela, avec mes vilains habits?

Sa marraine ne fit que la toucher avec sa baguette, et en même temps ses habits furent changés en des habits d'or et d'argent, tout chamarrés de pierreries; elle lui donna ensuite une paire de pantoufles de verre, les plus jolies du monde. Quand elle fut ainsi parée, elle monta en carrosse; mais sa marraine lui recommanda, sur toutes choses, de ne pas passer minuit, l'avertissant que, si elle demeurait au bal un moment davantage, son carrosse redeviendrait citrouille, ses chevaux des souris, ses laquais des lézards, et que ses beaux habits reprendraient leur première forme.

Elle promit à sa marraine qu'elle ne manquerait pas de sortir du bal avant minuit. Elle part, ne se sentant pas de joie. Le fils du roi, qu'on alla avertir qu'il venait d'arriver une grande princesse qu'on ne connaissait point, courut la recevoir. Il lui donna la main à la descente du carrosse, et la mena dans la salle où était la compagnie. Il se fit alors un grand silence; on cessa de danser, et les violons ne jouèrent plus, tant on était attentif à contempler les grandes beautés de cette inconnue. On n'entendait qu'un bruit confus: «Ah! qu'elle est belle»! Le roi même, tout vieux qu'il était, ne laissait pas de la regarder, et de dire tout bas à la reine qu'il y avait longtemps qu'il n'avait vu une si belle et si aimable personne. Toutes les dames étaient attentives à considérer sa coiffure et ses habits, pour en avoir, dès le lendemain, de semblables, pourvu qu'il se trouvât des étoffes assez belles, et des ouvriers assez habiles.

Le fils du roi la mit à la place la plus honorable, et ensuite la prit pour la mener danser. Elle dansa avec tant de grâce, qu'on l'admira encore davantage. On apporta une fort belle collation, dont le jeune prince ne mangea point, tant il était occupé à la considérer. Elle alla s'asseoir auprès de ses sœurs et leur fit mille honnêtetés; elle leur fit part des oranges et des citrons que le prince lui avait donnés, ce qui les étonna fort, car elles ne la connaissaient point.

Lorsqu'elles causaient ainsi, Cendrillon entendit sonner onze heures trois quarts; elle fit aussitôt une grande révérence à la compagnie, et s'en alla le plus

70

vite qu'elle put. Dès qu'elle fut arrivée, elle alla trouver sa marraine, et, après l'avoir remerciée, elle lui dit qu'elle souhaiterait bien aller encore le lendemain au bal, parce que le fils du roi l'en avait priée. Comme elle était occupée à raconter à sa marraine tout ce qui s'était passé au bal, les deux sœurs heurtèrent à la porte; Cendrillon leur alla ouvrir.

— Que vous êtes longtemps à revenir! leur dit-elle en bâillant, en se frottant les yeux, et en s'étendant comme si elle n'eût fait que de se réveiller.

Elle n'avait cependant pas eu envie de dormir, depuis qu'elles s'étaient quittées.

— Si tu étais venue au bal, lui dit une de ses sœurs, tu ne t'y serais pas ennuyée; il est venu la plus belle princesse, la plus belle qu'on puisse jamais voir; elle nous a fait mille civilités; elle nous a donné des oranges et des citrons.

Cendrillon ne se sentait pas de joie: elle leur demanda le nom de cette princesse; mais elles lui répondirent qu'on ne la connaissait pas, que le fils du roi en était fort en peine, et qu'il donnerait toutes choses au monde pour savoir qui elle était. Cendrillon sourit et leur dit:

— Elle était donc bien belle? Mon Dieu! que vous êtes heureuses! ne pourrais-je point la voir? Hélas! mademoiselle Javotte, prêtez-moi votre habit jaune que vous mettez tous les jours.

— Vraiment, dit M<sup>elle</sup> Javotte, je suis de cet avis! Prêter votre habit à un vilain Cucendron comme cela! il faudrait que je fusse bien folle.

Cendrillon s'attendait bien à ce refus, et elle en fut bien aise, car elle aurait été grandement embarrassée, si sa sœur eût bien voulu lui prêter son habit.

Le lendemain, les deux sœurs furent au bal, et Cendrillon aussi, mais encore plus parée que la première fois. Le fils du roi fut toujours auprès d'elle, et ne cessa de lui conter des douceurs. La jeune demoiselle ne s'ennuyait point et oublia ce que sa marraine lui avait recommandé; de sorte qu'elle entendit sonner le premier coup de minuit, lorsqu'elle ne croyait point qu'il fût encore onze heures: elle se leva, et s'enfuit aussi légèrement qu'aurait fait une biche. Le prince la suivit, mais il ne put l'attraper. Elle laissa tomber une de ses pantoufles de verre, que le prince ramassa bien soigneusement. Cendrillon arriva chez elle, bien essoufflée, sans carrosse, sans laquais, et avec ses méchants habits; rien ne lui étant resté de sa magnificence, qu'une de ses petites pantoufles, la pareille de celle qu'elle avait laissé tomber. On demanda aux gardes de la porte du palais s'ils n'avaient point vu sortir une princesse: ils dirent qu'ils n'avaient vu sortir personne qu'une jeune fille fort mal vêtue, et qui avait plus l'air d'une paysanne que d'une demoiselle.

Quand les deux sœurs revinrent du bal, Cendrillon leur demanda si elles s'étaient encore bien diverties, et si la belle dame y avait été; elles lui dirent que

72

oui, mais qu'elle s'était enfuie, lorsque minuit avait sonné, et si promptement qu'elle avait laissé tomber une de ses petites pantoufles de verre, la plus jolie du monde; que le fils du roi l'avait ramassée, et qu'il n'avait fait que la regarder pendant tout le reste du bal, et qu'assurément il était fort amoureux de la belle personne à qui appartenait la petite pantoufle.

Elles dirent vrai; car, peu de jours après, le fils du roi fit publier, à son de trompe, qu'il épouserait celle dont le pied serait bien juste à la pantoufle. On commença à l'essayer aux princesses, ensuite aux duchesses et à toute la cour, mais inutilement. On l'apporta chez les deux sœurs, qui firent tout leur possible pour faire entrer leur pied dans la pantoufle mais elles ne purent en venir à bout. Cendrillon, qui les regardait, et qui reconnut sa pantoufle, dit en riant:

— Que je voie si elle ne me serait pas bonne.

Ses sœurs se mirent à rire et à se moquer d'elle. Le gentilhomme qui faisait l'essai de la pantoufle, ayant regardé attentivement Cendrillon, et la trouvant fort belle, dit que cela était très juste, et qu'il avait ordre de l'essayer à toutes les filles. Il fit asseoir Cendrillon, et, approchant la pantoufle de son petit pied, il vit qu'il y entrait sans peine, et qu'elle y était juste comme de cire. L'étonnement des deux sœurs fut grand, mais plus grand encore quand Cendrillon tira de sa poche l'autre petite pantoufle qu'elle mit à son pied. Là-dessus arriva la marraine, qui, ayant donné un coup de baguette sur les habits de Cendrillon, les fit devenir encore plus magnifiques que tous les autres.

Alors ses deux sœurs la reconnurent pour la belle personne qu'elles avaient vue au bal. Elles se jetèrent à ses pieds pour lui demander pardon de tous les mauvais traitements qu'elles lui avaient fait souffrir. Cendrillon les releva et leur dit, en les embrassant, qu'elle leur pardonnait de bon cœur, et qu'elle les priait de l'aimer bien toujours. On la mena chez le jeune prince, parée comme elle était. Il la trouva encore plus belle que jamais; et, peu de jours après, il l'épousa. Cendrillon, qui était aussi bonne que belle, fit loger ses deux sœurs au palais, et les maria, dès le jour même, à deux grands seigneurs de la cour.

## MORALITÉ

La beauté, pour le sexe, est un rare trésor.
De l'admirer jamais on ne se lasse;
Mais ce qu'on nomme bonne grâce
Est sans prix, et vaut mieux encor.
C'est ce qu'à Cendrillon fit avoir sa marraine,
En la dressant, en l'instruisant,
Tant et si bien qu'elle en fit une reine:
(Car ainsi sur ce conte on va moralisant).
Belles, ce don vaut mieux que d'être bien coiffées:
Pour engager un cœur, pour en venir à bout,
La bonne grâce est le vrai don des fées;
Sans elle on ne peut rien, avec elle on peut tout.

## AUTRE MORALITÉ

C'est sans doute un grand avantage
D'avoir de l'esprit, du courage,
De la naissance, du bon sens,
Et d'autres semblables talents
Qu'on reçoit du ciel en partage;
Mais vous aurez beau les avoir,
Pour votre avancement ce seront choses vaines
Si vous n'avez, pour les faire valoir,
Ou des parrains, ou des marraines.

74

# RIQUET A LA HOUPPE

Il était une fois une reine qui eut un fils si laid et si mal fait, qu'on douta long-temps s'il avait forme humaine. Une fée, qui se trouva à sa naissance, assura qu'il ne laisserait pas d'être aimable, parce qu'il aurait beaucoup d'esprit: elle ajouta même qu'il pourrait, en vertu du don qu'elle venait de lui faire, donner autant d'esprit qu'il en aurait à la personne qu'il aimerait le mieux.

Tout cela consola un peu la pauvre reine, qui était bien affligée d'avoir mis au monde un si vilain marmot. Il est vrai que cet enfant ne commença pas plus tôt à parler, qu'il dit mille jolies choses, et qu'il avait dans toutes ses actions je ne sais quoi de si spirituel, qu'on en était charmé. J'oubliais de dire qu'il vint au monde avec une petite houppe de cheveux sur la tête, ce qui fit qu'on le nomma Riquet à la Houppe, car Riquet était le nom de la famille.

Au bout de sept ou huit ans, la reine d'un royaume voisin eut deux filles. La première qui vint au monde était plus belle que le jour; la reine en fut si aise qu'on appréhenda que la trop grande joie qu'elle en avait ne lui fît mal. La même fée qui avait assisté à la naissance du petit Riquet à la Houppe était pré-sente, et, pour modérer la joie de la reine, elle lui déclara que cette petite prin-cesse n'aurait point d'esprit, et qu'elle serait aussi stupide qu'elle était belle. Cela mortifia beaucoup la reine; mais elle eut, quelques moments après, un bien plus grand chagrin: car la seconde fille qu'elle eut se trouva extrêmement laide.

— Ne vous affligez point tant, madame, lui dit la fée, votre fille sera récom-pensée, d'ailleurs, et elle aura tant d'esprit, qu'on ne s'apercevra presque pas qu'il lui manque de la beauté.

— Dieu le veuille, répondit la reine; mais n'y aurait-il point moyen de faire avoir un peu d'esprit à l'aînée, qui est si belle?

— Je ne puis rien pour elle, madame, du côté esprit, lui dit la fée; mais je puis tout, du côté de la beauté; et, comme il n'y a rien que je ne veuille faire pour votre satisfaction, je vais lui donner pour don de pouvoir rendre beau ou belle la personne qui lui plaira.

A mesure que ces deux princesses devinrent grandes, leurs perfections crurent aussi avec elles, et on ne parlait partout que de la beauté de l'aînée et de l'esprit de la cadette. Il est vrai que leurs défauts augmentèrent beaucoup avec l'âge. La cadette enlaidissait à vue d'œil, et l'aînée devenait plus stupide de jour en jour. Ou elle ne répondait rien à ce qu'on lui demandait, ou elle disait une sottise. Elle était avec cela si maladroite, qu'elle n'eût pu ranger quatre porcelaines sur le bord d'une cheminée, sans en casser une; ni boire un verre d'eau, sans en ré-pandre la moitié sur ses habits.

Quoique la beauté soit un grand avantage dans une jeune personne, cependant la cadette l'emportait presque toujours sur son aînée dans toutes les compagnies. D'abord on allait du côté de la plus belle, pour la voir et pour l'admirer; mais bientôt après on allait à celle qui avait le plus d'esprit, pour lui entendre dire mille choses agréables; et on était étonné qu'en moins d'un quart d'heure l'aînée n'avait plus personne auprès d'elle, et que tout le monde s'était rangé autour de la cadette. L'aînée, quoique fort stupide, le remarqua bien; et elle eût donné sans regret toute sa beauté pour avoir la moitié de l'esprit de sa sœur. La reine, toute sage qu'elle était, ne put s'empêcher de lui reprocher plusieurs fois sa bêtise: ce qui pensa faire mourir de douleur cette pauvre princesse.

Un jour qu'elle s'était retirée dans un bois pour y plaindre son malheur, elle vit venir à elle un petit homme fort laid et fort désagréable, mais vêtu très magnifiquement. C'était le jeune prince Riquet à la Houppe, qui, étant devenu amoureux d'elle sur ses portraits qui couraient par tout le monde, avait quitté le royaume de son père, pour avoir le plaisir de la voir et de lui parler. Ravi de la rencontrer ainsi toute seule, il l'aborde, avec tout le respect et toute la politesse imaginables. Ayant remarqué, après lui avoir fait les compliments ordinaires, qu'elle était fort mélancolique, il lui dit:

— Je ne comprends point, madame, comment une personne aussi belle que vous l'êtes peut être aussi triste que vous le paraissez; car, quoique je puisse me vanter d'avoir vu une infinité de belles personnes, je puis dire que je n'en ai jamais vu dont la beauté approche de la vôtre.

— Cela vous plaît à dire, monsieur, lui répondit la princesse et en demeura là.

— La beauté, reprit Riquet à la Houppe, est un si grand avantage, qu'il doit tenir lieu de tout le reste, et, quand on le possède, je ne vois pas qu'il y ait rien qui puisse vous affliger beaucoup.

— J'aimerais mieux, dit la princesse, être aussi laide que vous, et avoir de l'esprit, que d'avoir de la beauté comme j'en ai, et être bête autant que je le suis.

— Il n'y a rien, madame, qui marque davantage qu'on a de l'esprit, que de croire n'en pas avoir, et il est de la nature de ce bien-là que, plus on en a, plus on croit en manquer.

— Je ne sais pas cela, dit la princesse; mais je sais que je suis fort bête, et c'est de là que vient le chagrin qui me tue.

— Si ce n'est que cela, madame, qui vous afflige, je puis aisément mettre fin à votre douleur.

— Et comment ferez-vous? dit la princesse.

— J'ai le pouvoir, madame, dit Riquet à la Houppe, de donner de l'esprit autant qu'on en saurait avoir à la personne que je dois aimer le plus; et comme vous êtes, madame, cette personne, il ne tiendra qu'à vous que vous n'ayez autant d'esprit qu'on en peut avoir, pourvu que vous vouliez bien m'épouser.

La princesse demeura tout interdite, et ne répondit rien.

— Je vois, reprit Riquet à la Houppe, que cette proposition vous fait de la peine, et je ne m'en étonne pas; mais je vous donne un an tout entier pour vous y résoudre.

La princesse avait si peu d'esprit, et en même temps une si grande envie d'en avoir, qu'elle s'imagina que la fin de cette année ne viendrait jamais; de sorte qu'elle accepta la proposition qui lui était faite. Elle n'eut pas plus tôt promis à Riquet à la Houppe qu'elle l'épouserait dans un an à pareil jour, qu'elle se sentit tout autre qu'elle n'était auparavant: elle se trouva une facilité incroyable à dire tout ce qui lui plaisait, et à le dire d'une manière fine, aisée et naturelle. Elle commença, dès ce moment, une conversation galante et soutenue avec Riquet à la Houppe, où elle brilla d'une telle force que Riquet à la Houppe crut lui avoir donné plus d'esprit qu'il ne s'en était réservé pour lui-même.

Quand elle fut retournée au palais, toute la cour ne savait que penser d'un changement si subit et si extraordinaire; car autant qu'on lui avait ouï dire d'impertinences auparavant, autant lui entendait-on dire des choses bien sensées et infiniment spirituelles. Toute la cour en eut une joie qui ne se peut imaginer; il n'y eut que sa cadette qui n'en fut pas bien aise, parce que, n'ayant plus sur son aînée l'avantage de l'esprit, elle ne paraissait plus auprès d'elle qu'une guenon fort désagréable.

Le roi se conduisait par ses avis, et allait même quelquefois tenir le conseil dans son appartement. Le bruit de ce changement s'étant répandu, tous les jeunes princes des royaumes voisins firent leurs efforts pour s'en faire aimer, et presque tous la demandèrent en mariage; mais elle n'en trouvait point qui eût assez d'esprit, et elle les écoutait tous, sans s'engager à pas un d'eux. Cependant il en vint un si puissant, si riche, si spirituel et si bien fait, qu'elle ne put s'empêcher d'avoir de la bonne volonté pour lui. Son père, s'en étant aperçu, lui dit qu'il la faisait la maîtresse sur le choix d'un époux, et qu'elle n'avait qu'à se déclarer. Comme, plus on a d'esprit, et plus on a de peine à prendre une ferme résolution sur cette affaire, elle demanda, après avoir remercié son père, qu'il lui donnât du temps pour y penser.

Elle alla par hasard se promener dans le même bois où elle avait trouvé Riquet à la Houppe, pour rêver plus commodément à ce qu'elle avait à faire. Dans le temps qu'elle se promenait, rêvant profondément, elle entendit un bruit sourd sous ses pieds, comme de plusieurs personnes qui vont et viennent et qui agissent. Ayant prêté l'oreille plus attentivement, elle ouït que l'on disait: «Apporte-moi cette marmite»; l'autre: «Donne-moi cette chaudière»; l'autre: «Mets du bois dans ce feu». La terre s'ouvrit dans le même temps, et elle vit sous ses pieds comme une grande cuisine pleine de cuisiniers, de marmitons et de toutes sortes

d'officiers nécessaires pour faire un festin magnifique. Il en sortit une bande de vingt ou trente rôtisseurs, qui allèrent se camper dans une allée du bois, autour d'une table fort longue, et qui tous, la lardoire à la main et la queue de renard sur l'oreille([1]), se mirent à travailler en cadence, au son d'une chanson harmonieuse.

La princesse, étonnée, de ce spectacle, leur demanda pour qui ils travaillaient.

— C'est, madame, lui répondit le plus apparent de la bande, pour le prince Riquet à la Houppe, dont les noces se feront demain.

La princesse, encore plus surprise qu'elle ne l'avait été, et se ressouvenant tout à coup qu'il y avait un an qu'à pareil jour elle avait promis d'épouser le prince Riquet à la Houppe, pensa tomber de son haut. Ce qui faisait qu'elle ne s'en souvenait pas, c'est que, quand elle fit cette promesse, elle était une bête, et qu'en prenant le nouvel esprit que le prince lui avait donné, elle avait oublié toutes ses sottises.

Elle n'eut pas fait trente pas, en continuant sa promenade, que Riquet à la Houppe se présenta à elle, brave, magnifique, et comme un prince qui va se marier.

— Vous me voyez, dit-il, madame, exact à tenir ma parole, et je ne doute point que vous ne veniez ici pour exécuter la vôtre, et me rendre, en me donnant la main, le plus heureux de tous les hommes.

— Je vous avouerai franchement, répondit la princesse, que je n'ai pas encore pris ma résolution là-dessus, et que je ne crois pas pouvoir jamais la prendre telle que vous la souhaitez.

— Vous m'étonnez, madame, lui dit Riquet à la Houppe.

— Je le crois, dit la princesse, et assurément, si j'avais affaire à un brutal, à un homme sans esprit, je me trouverais bien embarrassée. Une princesse n'a que sa parole, me dirait-il, et il faut que vous m'épousiez, puisque vous me l'avez promis; mais, comme celui à qui je parle est l'homme du monde qui a le plus d'esprit, je suis sûre qu'il entendra raison. Vous savez que, quand je n'étais qu'une bête, je ne pouvais néanmoins me résoudre à vous épouser; comment voulez-vous qu'ayant l'esprit que vous m'avez donné, qui me rend encore plus difficile en gens que je n'étais, je prenne aujourd'hui une résolution que je n'ai pu prendre dans ce temps-là? Si vous pensiez tout de bon à m'épouser, vous avez eu grand tort de m'ôter ma bêtise, et de me faire voir plus clair que je ne voyais.

— Si un homme sans esprit, répondit Riquet à la Houppe, serait bien reçu, comme vous venez de le dire, à vous reprocher votre manque de parole, pourquoi voulez-vous, madame, que je n'en use pas de même, dans une chose où il y va de tout le bonheur de ma vie? Est-il raisonnable que les personnes qui ont de

[1] Les cuisiniers de haut rang portaient alors des bonnets de fourrure avec queue pendante.

l'esprit soient à une pire condition que celles qui n'en ont pas? Le pouvez-vous prétendre, vous qui en avez tant, et qui avez tant souhaité d'en avoir? Mais venons au fait, s'il vous plaît. A la réserve de ma laideur, y a-t-il quelque chose en moi qui vous déplaise? Etes-vous mal contente de ma naissance, de mon esprit, de mon humeur et de mes manières?

— Nullement, répondit la princesse; j'aime en vous tout ce que vous venez de me dire.

— Si cela est ainsi, reprit Riquet à la Houppe, je vais être heureux, puisque vous pouvez me rendre le plus aimable des hommes.

— Comment cela se peut-il faire? lui dit la princesse.

— Cela se fera, répondit Riquet à la Houppe, si vous m'aimez assez pour souhaiter que cela soit; et afin, madame, que vous n'en doutiez pas, sachez que la même fée qui, au jour de ma naissance, me fit le don de pouvoir rendre spirituelle la personne qu'il me plairait, vous a aussi fait le don de pouvoir rendre beau celui que vous aimerez, et à qui vous voudrez bien faire cette faveur.

— Si la chose est ainsi, dit la princesse, je souhaite de tout mon cœur que vous deveniez le prince du monde le plus beau et le plus aimable; et je vous en fais le don, autant qu'il est en moi.

La princesse n'eut pas plus tôt prononcé ces paroles, que Riquet à la Houppe parut, à ses yeux, l'homme du monde le plus beau, le mieux fait et le plus aimable qu'elle eût jamais vu. Quelques-uns assurent que ce ne furent point les charmes de la fée qui opérèrent, mais que l'amour seul fit cette métamorphose. Ils disent que la princesse, ayant fait réflexion sur la persévérance de son amant, sur sa discrétion et sur toutes les bonnes qualités de son âme et de son esprit, ne vit plus la difformité de son corps ni la laideur de son visage; que sa bosse ne lui sembla plus que le bon air d'un homme qui fait le gros dos, et qu'au lieu que jusqu'alors elle l'avait vu boiter effroyablement, elle ne lui trouva plus qu'un certain air penché qui la charmait. Ils disent encore que ses yeux, qui étaient louches, ne lui en parurent que plus brillants; que leur dérèglement passa dans son esprit pour la marque d'un violent excès d'amour, et qu'enfin son gros nez rouge eut pour elle quelque chose de martial et d'héroïque.

Quoi qu'il en soit, la princesse lui promit sur-le-champ de l'épouser, pourvu qu'il en obtînt le consentement du roi son père. Le roi, ayant su que sa fille avait beaucoup d'estime pour Riquet à la Houppe, qu'il connaissait d'ailleurs pour un prince très spirituel et très sage, le reçut avec plaisir pour son gendre. Dès le lendemain, les noces furent faites, ainsi que Riquet à la Houppe l'avait prévu, et selon les ordres qu'il en avait donnés longtemps auparavant.

## MORALITÉ

*Ce que l'on voit dans cet écrit*
*Est moins un conte en l'air que la vérité même.*
*Tout est beau dans ce que l'on aime;*
*Tout ce qu'on aime a de l'esprit.*


## AUTRE MORALITÉ

*Dans un objet où la nature*
*Aura mis de beaux traits et la vive peinture*
*D'un teint où jamais l'art ne saurait arriver,*
*Tous ces dons pourront moins pour rendre un cœur sensible*
*Qu'un seul agrément invisible*
*Que l'amour y fera trouver.*

# LE PETIT POUCET

Il était une fois un bûcheron et une bûcheronne qui avaient sept enfants, tous garçons; l'aîné n'avait que dix ans, et le plus jeune n'en avait que sept. On s'étonnera que le bûcheron ait eu tant d'enfants en si peu de temps; mais c'est que sa femme allait vite en besogne, et n'en avait pas moins de deux à la fois.

Ils étaient fort pauvres, et leurs sept enfants les incommodaient beaucoup, parce qu'aucun d'eux ne pouvait encore gagner sa vie. Ce qui les chagrinait encore, c'est que le plus jeune était fort délicat et ne disait mot: prenant pour bêtise ce qui était une marque de la bonté de son esprit. Il était fort petit, et, quand il vint au monde, il n'était guère plus gros que le pouce, ce qui fit qu'on l'appela *le Petit Poucet*.

Ce pauvre enfant était le souffre-douleur de la maison, et on lui donnait toujours tort. Cependant il était le plus fin et le plus avisé de tous ses frères, et, s'il parlait peu, il écoutait beaucoup.

Il vint une année très fâcheuse, et la famine fut si grande que ces pauvres gens résolurent de se défaire de leurs enfants. Un soir que ces enfants étaient couchés, et que le bûcheron était auprès du feu avec sa femme, il lui dit, le cœur serré de douleur:

— Tu vois bien que nous ne pouvons plus nourrir nos enfants; je ne saurais les voir mourir de faim devant mes yeux, et je suis résolu de les mener perdre demain au bois, ce qui sera bien aisé, car, tandis qu'ils s'amuseront à fagoter, nous n'avons qu'à nous enfuir sans qu'ils nous voient.

— Ah! s'écria la bûcheronne, pourrais-tu toi-même mener perdre tes enfants!

Son mari avait beau lui représenter leur grande pauvreté, elle ne pouvait y consentir; elle était pauvre, mais elle était leur mère.

Cependant, ayant considéré quelle douleur ce lui serait de les voir mourir de faim, elle y consentit, et alla se coucher en pleurant.

Le Petit Poucet ouït tout ce qu'ils dirent, car, ayant entendu, de dedans son lit, qu'ils parlaient d'affaires, il s'était levé doucement et s'était glissé sous l'escabelle de son père, pour les écouter sans être vu. Il alla se recoucher et ne dormit point du reste de la nuit, songeant à ce qu'il avait à faire. Il se leva de bon matin, et alla au bord d'un ruisseau, où il emplit ses poches de petits cailloux blancs, et ensuite revint à la maison. On partit, et le Petit Poucet ne découvrit rien de tout ce qu'il savait à ses frères.

Ils allèrent dans une forêt fort épaisse, où, à dix pas de distance, on ne se voyait pas l'un l'autre. Le bûcheron se mit à couper du bois, et ses enfants à ramasser des broutilles pour faire des fagots. Le père et la mère, les voyant occupés à travailler, s'éloignèrent d'eux insensiblement, et puis s'enfuirent tout à coup par un petit sentier détourné.

Lorsque ces enfants se virent seuls, ils se mirent à crier et à pleurer de toute leur force. Le Petit Poucet les laissait crier, sachant bien par où il reviendrait à la maison, car en marchant il avait laissé tomber le long du chemin les petits cailloux blancs qu'il avait dans ses poches. Il leur dit donc:

— Ne craignez point, mes frères; mon père et ma mère nous ont laissés ici, mais je vous ramènerai bien au logis: suivez-moi seulement.

Ils le suivirent, et il les mena jusqu'à leur maison, par le même chemin qu'ils étaient venus dans la forêt. Ils n'osèrent d'abord entrer, mais ils se mirent tous contre la porte, pour écouter ce que disaient leur père et leur mère.

Dans le moment que le bûcheron et la bûcheronne arrivèrent chez eux, le seigneur du village leur envoya dix écus, qu'il leur devait il y avait longtemps, et dont ils n'espéraient plus rien. Cela leur redonna la vie, car les pauvres gens mouraient de faim. Le bûcheron envoya sur l'heure sa femme à la boucherie. Comme il y avait longtemps qu'elle n'avait mangé, elle acheta trois fois plus de viande qu'il n'en fallait pour le souper de deux personnes. Lorsqu'ils furent rassasiés, la bûcheronne dit:

— Hélas! où sont maintenant nos pauvres enfants! Ils feraient bonne chère de ce qui nous reste là. Mais aussi, Guillaume, c'est toi qui les as voulu perdre; j'avais bien dit que nous nous en repentirions. Que font-ils maintenant dans cette forêt? Hélas! mon Dieu, les loups les ont peut-être déjà mangés! Tu es bien inhumain d'avoir perdu ainsi tes enfants!

Le bûcheron s'impatienta à la fin; car elle redit plus de vingt fois qu'ils s'en repentiraient, et qu'elle l'avait bien dit. Il la menaça de la battre si elle ne se taisait. Ce n'est pas que le bûcheron ne fût peut-être encore plus fâché que sa femme, mais c'est qu'elle lui rompait la tête, et qu'il était de l'humeur de beaucoup d'autres gens, qui aiment fort les femmes qui disent bien, mais qui trouvent très importunes celles qui ont toujours bien dit.

La bûcheronne était tout en pleurs:

— Hélas! où sont maintenant mes enfants, mes pauvres enfants!

Elle le dit une fois si haut, que les enfants, qui étaient à la porte, l'ayant entendue, se mirent à crier tous ensemble:

— Nous voilà! nous voilà!

Elle courut vite leur ouvrir la porte, et leur dit en les embrassant:

— Que je suis aise de vous revoir, mes chers enfants! Vous êtes bien las, et vous avez bien faim; et toi, Pierrot, comme te voilà crotté, viens que je te débarbouille.

Ce Pierrot était son fils aîné, qu'elle aimait plus que tous les autres, parce qu'il était un peu rousseau, et qu'elle était un peu rousse.

Ils se mirent à table, et mangèrent d'un appétit qui faisait plaisir au père et à la mère, à qui ils racontaient la peur qu'ils avaient eue dans la forêt, en parlant presque toujours tous ensemble. Ces bonnes gens étaient ravis de revoir leurs enfants avec eux, et cette joie dura tant que les dix écus durèrent. Mais, lorsque l'argent fut dépensé, ils retombèrent dans leur premier chagrin, et résolurent de les perdre encore; et, pour ne pas manquer leur coup, de les mener bien plus loin que la première fois.

Ils ne purent parler de cela si secrètement qu'ils ne fussent entendus par le Petit Poucet, qui fit son compte de sortir d'affaire comme il avait déjà fait; mais, quoiqu'il se fût levé de grand matin pour aller ramasser de petits cailloux, il ne put en venir à bout, car il trouva la porte de la maison fermée à double tour. Il ne savait que faire, lorsque, la bûcheronne leur ayant donné à chacun un morceau de pain pour leur déjeuner, il songea qu'il pourrait se servir de son pain au lieu de cailloux, en le jetant par miettes le long des chemins où ils passeraient: il le serra donc dans sa poche.

Le père et la mère les menèrent dans l'endroit de la forêt le plus épais et le plus obscur; et, dès qu'ils y furent, ils gagnèrent un faux-fuyant, et les laissèrent là. Le Petit Poucet ne s'en chagrina pas beaucoup, parce qu'il croyait retrouver aisément son chemin, par le moyen de son pain qu'il avait semé partout où il avait passé; mais il fut bien surpris lorsqu'il ne put en retrouver une seule miette: les oiseaux étaient venus qui avaient tout mangé.

Les voilà donc bien affligés; car, plus ils marchaient, plus ils s'égaraient et s'enfonçaient dans la forêt. La nuit vint, et il s'éleva un grand vent qui leur faisait des peurs épouvantables. Ils croyaient n'entendre de tous côtés que les hurlements de loups qui venaient à eux pour les manger. Ils n'osaient presque se parler, ni tourner la tête. Il survint une grosse pluie, qui les perça jusqu'aux os; ils glissaient à chaque pas, et tombaient dans la boue, d'où ils se relevaient tout crottés, ne sachant que faire de leurs mains.

Le Petit Poucet grimpa au haut d'un arbre, pour voir s'il ne découvrirait rien; ayant tourné la tête de tous côtés, il vit une petite lueur comme d'une chandelle, mais qui était bien loin, par delà la forêt. Il descendit de l'arbre, et, lorsqu'il fut à terre, il ne vit plus rien: cela le désola. Cependant, ayant marché quelque temps avec ses frères, du côté qu'il avait vu la lumière, il la revit en sortant du bois.

Ils arrivèrent enfin à la maison où était cette chandelle, non sans bien des frayeurs: car souvent ils la perdaient de vue; ce qui leur arrivait toutes les fois qu'ils descendaient dans quelque fond. Ils heurtèrent à la porte, et une bonne

femme vint leur ouvrir. Elle leur demanda ce qu'ils voulaient. Le Petit Poucet lui dit qu'ils étaient de pauvres enfants qui s'étaient perdus dans la forêt, et qui demandaient à coucher par charité. Cette femme, les voyant tous si jolis, se mit à pleurer, et leur dit:

— Hélas! mes pauvres enfants, où êtes-vous venus? Savez-vous bien que c'est ici la maison d'un Ogre qui mange les petits enfants?

— Hélas! madame, lui répondit le Petit Poucet, qui tremblait de toute sa force, aussi bien que ses frères, que ferons-nous? Il est bien sûr que les loups de la forêt ne manqueront pas de nous manger cette nuit si vous ne voulez pas nous retirer chez vous, et, cela étant, nous aimons mieux que ce soit Monsieur qui nous mange; peut-être qu'il aura pitié de nous si vous voulez bien l'en prier.

La femme de l'Ogre, qui crut qu'elle pourrait les cacher à son mari jusqu'au lendemain matin, les laissa entrer, et les mena se chauffer auprès d'un bon feu; car il y avait un mouton tout entier à la broche, pour le souper de l'Ogre.

Comme ils commençaient à se chauffer, ils entendirent heurter trois ou quatre grands coups à la porte: c'était l'Ogre qui revenait. Aussitôt sa femme les fit cacher sous le lit, et alla ouvrir la porte. L'Ogre demanda d'abord si le souper était prêt, et si on avait tiré du vin, et aussitôt se mit à table. Le mouton était encore tout sanglant, mais il ne lui en sembla que meilleur. Il flairait à droite et à gauche, disant qu'il sentait la chair fraîche.

— Il faut, lui dit sa femme, que ce soit ce veau que je viens d'habiller(1), que vous sentez.

— Je sens la chair fraîche, te dis-je encore une fois, reprit l'Ogre, en regardant sa femme de travers, et il y a ici quelque chose que je n'entends pas.

En disant ces mots, il se leva de table, et alla droit au lit.

— Ah! dit-il, voilà donc comme tu veux me tromper, maudite femme! Je ne sais à quoi il tient que je ne te mange aussi: bien t'en prend d'être une vieille bête. Voilà du gibier qui me vient bien à propos pour traiter trois ogres de mes amis, qui doivent me venir voir ces jours-ci.

Il les tira de dessous le lit, l'un après l'autre. Ces pauvres enfants se mirent à genoux, en lui demandant pardon; mais ils avaient affaire au plus cruel de tous les ogres, qui, bien loin d'avoir de la pitié, les dévorait déjà des yeux, et disait à sa femme que ce seraient là de friands morceaux, lorsqu'elle leur aurait fait une bonne sauce.

Il alla prendre un grand couteau; et en approchant de ces pauvres enfants, il l'aiguisait sur une longue pierre, qu'il tenait à sa main gauche. Il en avait déjà empoigné un, lorsque sa femme lui dit:

1 Terme de cuisine: préparer pour la cuisson.

— Que voulez-vous faire à l'heure qu'il est? n'aurez-vous pas assez de temps demain?

— Tais-toi, reprit l'Ogre, ils en seront plus mortifiés.

— Mais vous avez encore là tant de viande, reprit sa femme: voilà un veau, deux moutons et la moitié d'un cochon!

— Tu as raison, dit l'Ogre: donne-leur bien à souper afin qu'ils ne maigrissent pas, et va les mener coucher.

La bonne femme fut ravie de joie, et leur porta bien à souper; mais ils ne purent manger, tant ils étaient saisis de peur. Pour l'Ogre, il se remit à boire, ravi d'avoir de quoi si bien régaler ses amis. Il but une douzaine de coups de plus qu'à l'ordinaire: ce qui lui donna un peu dans la tête, et l'obligea de s'aller coucher.

L'Ogre avait sept filles, qui n'étaient encore que des enfants. Ces petites ogresses avaient toutes le teint fort beau, parce qu'elles mangeaient de la chair fraîche, comme leur père; mais elles avaient de petits yeux gris et tout ronds, le nez crochu, et une fort grande bouche, avec de longues dents fort aiguës et fort éloignées l'une de l'autre. Elles n'étaient pas encore fort méchantes; mais elles promettaient beaucoup, car elles mordaient déjà les petits enfants pour en sucer le sang.

On les avait fait coucher de bonne heure, et elles étaient toutes sept dans un grand lit, ayant chacune une couronne d'or sur la tête. Il y avait dans la même chambre un autre lit de la même grandeur: ce fut dans ce lit que la femme de l'Ogre mit coucher les sept petits garçons; après quoi, elle s'alla coucher auprès de son mari.

Le Petit Poucet, qui avait remarqué que les filles de l'Ogre avaient des couronnes d'or sur la tête, et qui craignait qu'il ne prît à l'Ogre quelques remords de ne les avoir pas égorgés dès le soir même, se leva vers le milieu de la nuit, et prenant les bonnets de ses frères et le sien, il alla tout doucement les mettre sur la tête des sept filles de l'Ogre, après leur avoir ôté leurs couronnes d'or, qu'il mit sur la tête de ses frères, et sur la sienne afin que l'Ogre les prît pour ses filles, et ses filles pour les garçons qu'il voulait égorger. La chose réussit comme il l'avait pensé; car l'Ogre, s'étant éveillé sur le minuit, eut regret d'avoir différé au lendemain ce qu'il pouvait exécuter la veille. Il se jeta donc brusquement hors du lit, et, prenant son grand couteau:

— Allons voir, dit-il, comment se portent nos petits drôles; n'en faisons pas à deux fois.

Il monta donc à tâtons à la chambre de ses filles, et s'approcha du lit où étaient les petits garçons, qui dormaient tous, excepté le Petit Poucet, qui eut bien peur lorsqu'il sentit la main de l'Ogre qui lui tâtait la tête, comme il avait tâté celles de tous ses frères. L'Ogre, qui sentit les couronnes d'or:

— Vraiment, dit-il, j'allais faire là un bel ouvrage; je vois bien que je bus trop hier au soir.

Il alla ensuite au lit de ses filles, où, ayant senti les petits bonnets des garçons:

— Ah! les voilà, dit-il, nos gaillards; travaillons hardiment.

En disant ces mots, il coupa, sans balancer, la gorge à ses sept filles. Fort content de cette expédition, il alla se recoucher auprès de sa femme.

Aussitôt que le Petit Poucet entendit ronfler l'Ogre, il réveilla ses frères, et leur dit de s'habiller promptement et de le suivre. Ils descendirent doucement dans le jardin et sautèrent par-dessus les murailles. Ils coururent presque toute la nuit, toujours en tremblant, et sans savoir où ils allaient.

L'Ogre, s'étant éveillé, dit à sa femme:

— Va-t'en là-haut habiller ces petits drôles d'hier au soir.

L'Ogresse fut fort étonnée de la bonté de son mari, ne se doutant point de la manière qu'il entendait qu'elle les habillât, et croyant qu'il lui ordonnait de les aller vêtir. Elle monta en haut, où elle fut bien surprise, lorsqu'elle aperçut ses sept filles égorgées et nageant dans leur sang.

Elle commença par s'évanouir, car c'est le premier expédient que trouvent presque toutes les femmes en pareilles rencontres. L'Ogre, craignant que sa femme ne fût trop longtemps à faire la besogne dont il l'avait chargée, monta en haut pour lui aider. Il ne fut pas moins étonné que sa femme lorsqu'il vit cet affreux spectacle.

— Ah! qu'ai-je fait là? s'écria-t-il. Ils me le payeront, les malheureux, et tout à l'heure.

Il jeta aussitôt une potée d'eau dans le nez de sa femme; et, l'ayant fait revenir:

— Donne-moi vite mes bottes de sept lieues, lui dit-il, afin que j'aille les attraper.

Il se mit en campagne, et, après avoir couru bien loin de tous les côtés, enfin il entra dans le chemin où marchaient ces pauvres enfants, qui n'étaient plus qu'à cent pas du logis de leur père. Ils virent l'Ogre qui allait de montagne en montagne, et qui traversait des rivières aussi aisément qu'il aurait fait le moindre ruisseau. Le Petit Poucet, qui vit un rocher creux proche le lieu où ils étaient, y fit cacher ses six frères et s'y fourra aussi, regardant toujours ce que l'Ogre deviendrait. L'Ogre, qui se trouvait fort las du long chemin qu'il avait fait inutilement (car les bottes de sept lieues fatiguent fort leur homme), voulut se reposer; et, par hasard, il alla s'asseoir sur la roche où les petits garçons s'étaient cachés.

Comme il n'en pouvait plus de fatigue, il s'endormit après s'être reposé quelque temps, et vint à ronfler si effroyablement, que les pauvres enfants n'eurent pas moins de peur que quand il tenait son grand couteau pour leur couper la gorge. Le Petit Poucet en eut moins de peur, et dit à ses frères de s'enfuir promptement à la maison pendant que l'Ogre dormait bien fort, et qu'ils ne se missent point en peine de lui. Ils crurent son conseil, et gagnèrent vite la maison.

Le Petit Poucet, s'étant approché de l'Ogre, lui tira doucement ses bottes, et les mit aussitôt. Les bottes étaient fort grandes et fort larges; mais, comme elles étaient fées, elles avaient le don de s'agrandir et de se rapetisser selon la jambe de celui qui les chaussait; de sorte qu'elles se trouvèrent aussi justes à ses pieds et à ses jambes que si elles eussent été faites pour lui.

Il alla droit à la maison de l'Ogre, où il trouva sa femme qui pleurait auprès de ses filles égorgées.

— Votre mari, lui dit le Petit Poucet, est en grand danger; car il a été pris par une troupe de voleurs, qui ont juré de le tuer s'il ne leur donne tout son or et tout son argent. Dans le moment qu'ils lui tenaient le poignard sur la gorge, il m'a aperçu et m'a prié de vous venir avertir de l'état où il est, et de vous dire de me donner tout ce qu'il a de vaillant, sans en rien retenir, parce qu'autrement ils le tueront sans miséricorde. Comme la chose presse beaucoup, il a voulu que je prisse ses bottes de sept lieues que voilà, pour faire diligence, et aussi afin que vous ne croyiez pas que je sois un affronteur.

La bonne femme, fort effrayée, lui donna aussitôt tout ce qu'elle avait; car cet Ogre ne laissait pas d'être fort bon mari, quoiqu'il mangeât les petits enfants. Le Petit Poucet, étant donc chargé de toutes les richesses de l'Ogre, s'en revint au logis de son père, où il fut reçu avec bien de la joie.

Il y a bien des gens qui ne demeurent pas d'accord de cette dernière circonstance, et qui prétendent que le Petit Poucet n'a jamais fait ce vol à l'Ogre; qu'à la vérité il n'avait pas fait conscience de lui prendre ses bottes de sept lieues, parce qu'il ne s'en servait que pour courir après les petits enfants. Ces gens-là assurent le savoir de bonne part, et même pour avoir bu et mangé dans la maison du bûcheron. Ils assurent que lorsque le Petit Poucet eut chaussé les bottes de l'Ogre, il s'en alla à la cour, où il savait qu'on était fort en peine d'une armée qui était à deux cents lieues de là, et du succès d'une bataille qu'on avait donnée. Il alla, disent-ils, trouver le roi et lui dit que, s'il le souhaitait il lui rapporterait des nouvelles de l'armée avant la fin du jour. Le roi lui promit une grosse somme d'argent s'il en venait à bout. Le Petit Poucet rapporta des nouvelles, dès le soir même; et cette première course l'ayant fait connaître, il gagnait tout ce qu'il voulait; car le roi le payait parfaitement bien pour porter ses ordres à l'armée; et une infinité de demoiselles lui donnaient tout ce qu'il voulait, pour avoir des nouvelles de leurs fiancés et ce fut là son plus grand gain.

Il se trouvait quelques femmes qui le chargeaient de lettres pour leurs maris;

mais elles le payaient si mal, et cela allait à si peu de chose qu'il ne daignait mettre en ligne de compte ce qu'il gagnait de ce côté-là.

Après avoir fait pendant quelque temps le métier de courrier, et y avoir amassé beaucoup de bien, il revint chez son père, où il n'est pas possible d'imaginer la joie qu'on eut de le revoir. Il mit toute sa famille à son aise. Il acheta des offices de nouvelle création pour son père et pour ses frères; et par là il les établit tous, et fit parfaitement bien sa cour en même temps.


### MORALITÉ

*On ne s'afflige point d'avoir beaucoup d'enfants,*
*Quand ils sont tous beaux, bien faits et bien grands,*
    *Et d'un extérieur qui brille;*
    *Mais si l'un d'eux est faible, ou ne dit mot,*
    *On le méprise, on le raille, on le pille:*
*Quelquefois, cependant, c'est ce petit marmot*
*Qui fera le bonheur de toute la famille.*

# L'OISEAU BLEU

Il était une fois un roi fort riche en terres et en argent; sa femme mourut, il en fut inconsolable. Il s'enferma huit jours entiers dans un petit cabinet, où il se cassait la tête contre les murs, tant il était affligé. On craignit qu'il ne se tuât: on mit des matelas entre la tapisserie et la muraille, de sorte qu'il avait beau se frapper, il ne se faisait plus de mal. Tous ses sujets résolurent entre eux de l'aller voir et de lui dire ce qu'ils pourraient de plus propre à soulager sa tristesse. Les uns préparaient des discours graves et sérieux, d'autres d'agréables et même de réjouissants; mais cela ne faisait aucune impression sur son esprit, à peine entendait-il ce qu'on lui disait. Enfin il se présenta devant lui une femme si couverte de crêpes noirs, de voiles, de mantes, de longs habits de deuil, et qui pleurait et sanglotait si fort et si haut, qu'il en demeura surpris. Elle lui dit qu'elle n'entreprenait point, comme les autres, de diminuer sa douleur, qu'elle venait pour l'augmenter, parce que rien n'était plus juste que de pleurer une bonne femme; que pour elle, qui avait eu le meilleur de tous les maris, elle faisait bien son compte de pleurer tant qu'il lui resterait des yeux à la tête. Là-dessus elle redoubla ses cris, et le roi à son exemple se mit à hurler.

Il la reçut mieux que les autres; il l'entretint des belles qualités de sa chère défunte, et elle renchérit sur celles de son cher défunt: ils causèrent tant et tant qu'ils ne savaient plus que dire sur leur douleur. Quand la fine veuve vit la matière presque épuisée, elle leva un peu ses voiles, et le roi affligé se récréa la vue à regarder cette pauvre affligée, qui tournait et retournait fort à propos deux grands yeux bleus, bordés de longues paupières noires; son teint était assez fleuri. Le roi la considéra avec beaucoup d'attention; peu à peu il parla moins de sa femme, puis il n'en parla plus du tout. La veuve disait qu'elle voulait toujours pleurer son mari, le roi la pria de ne point immortaliser son chagrin. Pour conclusion, l'on fut tout étonné qu'il l'épousât, et que le noir se changeât en vert et en couleur de rose: il suffit très souvent de connaître le faible des gens pour entrer dans leur cœur, et pour en faire tout ce que l'on veut.

Le roi n'avait eu qu'une fille de son premier mariage, qui passait pour la huitième merveille du monde; on la nommait Florine, parce qu'elle ressemblait à Flore, tant elle était fraîche, jeune et belle. On ne lui voyait guère d'habits magnifiques; elle aimait les robes de taffetas volant, avec quelques agrafes de pierreries et force guirlandes de fleurs, qui faisaient un effet admirable quand elles étaient placées dans ses beaux cheveux. Elle n'avait que quinze ans lorsque le roi se remaria.

La nouvelle reine envoya quérir sa fille, qui avait été nourrie chez sa marraine, la fée Soussio; mais elle n'en était ni plus gracieuse ni plus belle: Soussio y avait voulu travailler et n'avait rien gagné. Elle ne laissait pas de l'aimer chèrement. On l'appelait Truitonne, car son visage avait autant de taches de rousseur qu'une truite; ses cheveux noirs étaient si gras et si crasseux que l'on n'y pouvait toucher et sa peau jaune distillait de l'huile. La reine ne laissait pas de l'aimer à la folie, elle ne parlait que de la charmante Truitonne; et comme Florine avait toutes sortes d'avantages au-dessus d'elle, la reine s'en désespérait; elle cherchait tous les moyens possibles de la mettre mal auprès du roi: il n'y avait point de jour que la reine et Truitonne ne fissent quelque pièce à Florine. La princesse, qui était douce et spirituelle, tâchait de se mettre au-dessus de ces mauvais procédés.

Le roi dit un jour à la reine que Florine et Truitonne étaient assez grandes pour être mariées, et que le premier prince qui viendrait à la cour, il fallait faire en sorte de lui donner l'une des deux. «Je prétends, répliqua la reine, que ma fille soit la première établie; elle est plus âgée que la vôtre, et comme elle est mille fois plus aimable, il n'y a point à balancer là-dessus.» Le roi, qui n'aimait point la dispute, lui dit qu'il le voulait bien, et qu'il l'en faisait la maîtresse.

A quelque temps de là l'on apprit que le roi Charmant devait arriver. Jamais prince n'a porté plus loin la galanterie et la magnificence; son esprit et sa personne n'avaient rien qui ne répondît à son nom. Quand la reine sut ces nouvelles, elle employa tous les brodeurs, tous les tailleurs, et tous les ouvriers à faire des ajustements à Truitonne; elle pria le roi que Florine n'eût rien de neuf, et ayant gagné ses femmes, elle lui fit voler tous ses habits, toutes ses coiffures et toutes ses pierreries le jour même que Charmant arriva; de sorte que lorsqu'elle se voulut parer, elle ne trouva pas un ruban. Elle vit bien d'où lui venait ce bon office; elle envoya chez les marchands pour avoir des étoffes: ils répondirent que la reine avait défendu qu'on lui en donnât. Elle demeura donc avec une petite robe fort crasseuse, et sa honte était si grande qu'elle se mit dans le coin de la salle lorsque le roi Charmant arriva.

La reine le reçut avec de grandes cérémonies; elle lui présenta sa fille plus brillante que le soleil, et plus laide par ses parures qu'elle ne l'était ordinairement. Le roi en détourna les yeux; la reine voulait se persuader qu'elle lui plaisait trop et qu'il craignait de s'engager, de sorte qu'elle la faisait toujours mettre devant lui. Il demanda s'il n'y avait pas encore une autre princesse appelée Florine. «Oui, dit Truitonne, en la montrant avec le doigt; la voilà qui se cache, parce qu'elle n'est pas brave.» Florine rougit, et devint si belle, si belle, que le roi Charmant demeura comme un homme ébloui. Il se leva promptement, et fit une profonde révérence à la princesse. «Madame, lui dit-il, votre incomparable beauté vous pare trop pour que vous ayez besoin d'aucun secours étranger. — Seigneur, répliqua-t-elle, je vous avoue que je suis peu accoutumée à porter un habit aussi malpropre que l'est celui-ci, et vous m'auriez fait plaisir de ne vous pas apercevoir de moi. — Il serait impossible, s'écria Charmant, qu'une si merveilleuse princesse pût être en quelque lieu, et que l'on eût des yeux pour d'autres que pour elle. — Ah! dit la reine irritée, je passe bien mon temps à vous entendre; croyez-moi, seigneur, Florine est déjà assez coquette, elle n'a pas besoin qu'on lui dise tant de galanteries.» Le roi Charmant démêla aussitôt les motifs qui faisaient ainsi parler la reine, mais, comme il n'était pas de condition à se contraindre, il laissa paraître toute son admiration pour Florine et l'entretint trois heures de suite.

La reine au désespoir, et Truitonne inconsolable de n'avoir pas la préférence sur la princesse, firent de grandes plaintes au roi, et l'obligèrent de consentir que pendant le séjour du roi Charmant l'on enfermerait Florine dans une tour où ils ne se verraient point. En effet, aussitôt qu'elle fut retournée dans sa chambre, quatre hommes masqués la portèrent au haut de la tour, et l'y laissèrent dans la dernière désolation, car elle vit bien que l'on n'en usait ainsi que pour l'empêcher de plaire au roi, qui lui plaisait déjà fort, et qu'elle aurait bien voulu pour époux.

Comme il ne savait pas les violences que l'on venait de faire à la princesse, il attendait l'heure de la revoir avec mille impatiences; il voulut parler d'elle à ceux que le roi avait mis auprès de lui pour lui faire plus d'honneur; mais par l'ordre de la reine, ils lui en dirent tout le mal qu'ils purent: qu'elle était coquette, inégale, de méchante humeur; qu'elle tourmentait ses amis et ses domestiques; qu'on ne pouvait être plus malpropre, et qu'elle poussait si loin l'avarice qu'elle aimait mieux être habillée comme une petite bergère que d'acheter de riches étoffes de l'argent que lui donnait le roi son père. A tout ce détail, Charmant souffrait et se sentait des mouvements de colère qu'il avait bien de la peine à modérer. «Non, disait-il en lui-même, il est impossible que le ciel ait mis une âme si mal faite dans le chef-d'œuvre de la nature: je conviens qu'elle n'était pas proprement mise quand je l'ai vue, mais la honte qu'elle en avait prouve assez qu'elle n'est point accoutumée à se voir ainsi. Quoi! elle serait mauvaise avec cet air de modestie et de douceur qui enchante? Ce n'est pas une chose qui me tombe sous le sens; il m'est bien plus aisé de croire que c'est la reine qui la décrie ainsi: l'on n'est pas belle-mère pour rien; et la princesse Truitonne est une si laide bête qu'il ne serait point extraordinaire qu'elle portât envie à la plus parfaite de toutes les créatures.»

Pendant qu'il raisonnait là-dessus, les courtisans qui l'environnaient devinaient bien à son air qu'ils ne lui avaient pas fait plaisir de parler mal de Florine;

il y en eut un plus adroit que les autres qui, changeant de ton et de langage pour connaître les sentiments du prince, se mit à dire des merveilles de la princesse. A ces mots il se réveilla comme d'un profond sommeil, il entra dans la conversation, la joie se répandit sur son visage: amour, amour, que l'on te cache difficilement! Tu parais partout, sur les lèvres d'un amant, dans ses yeux, au son de sa voix: lorsque l'on aime, le silence, la conversation, la joie ou la tristesse, tout parle de ce qu'on ressent.

La reine, impatiente de savoir si le roi Charmant était bien touché, envoya quérir ceux qu'elle avait mis dans sa confidence, et elle passa le reste de la nuit à les questionner: tout ce qu'ils lui dirent ne servait qu'à confirmer l'opinion où elle était que le roi aimait Florine. Mais que vous dirai-je de la mélancolie de cette pauvre princesse? Elle était couchée par terre dans le donjon de cette terrible tour où les hommes masqués l'avaient emportée. «Je serais moins à plaindre, disait-elle, si l'on m'avait mise ici avant que j'eusse vu cet aimable roi; l'idée que j'en conserve ne peut servir qu'à augmenter mes peines. Je ne dois pas douter que c'est pour m'empêcher de le voir davantage que la reine me traite si cruellement. Hélas! que le peu de beauté dont le ciel m'a pourvue coûtera cher à mon repos!» Elle pleurait ensuite si amèrement, si amèrement, que sa propre ennemie en aurait eu pitié si elle avait été témoin de ses douleurs.

C'est ainsi que cette nuit se passa. La reine, qui voulait engager le roi Charmant par tous les témoignages qu'elle pourrait lui donner de son attention, lui envoya des habits d'une richesse et d'une magnificence sans pareille, faits à la mode du pays, et l'ordre des chevaliers d'amour, qu'elle avait obligé le roi d'instituer le jour de leurs noces. C'était un cœur d'or émaillé de couleur de feu, entouré de plusieurs flèches et percé d'une, avec ces mots: *Une seule me blesse.* La reine avait fait tailler pour Charmant un cœur d'un rubis gros comme un œuf d'autruche; chaque flèche était d'un seul diamant, longue comme le doigt, et la chaîne où ce cœur tenait était faite de perles, dont la plus petite pesait une livre; enfin, depuis que le monde est monde, il n'avait rien paru de tel.

Le roi, à cette vue, demeura si surpris qu'il fut quelque temps sans parler; on lui présenta en même temps un livre, dont les feuilles étaient de vélin, avec des miniatures admirables; la couverture d'or, chargée de pierreries, et les statuts de l'ordre des chevaliers d'amour y étaient écrits d'un style fort tendre et fort galant. L'on dit au roi que la princesse qu'il avait vue le priait d'être son chevalier, et qu'elle lui envoyait ce présent. A ces mots, il osa se flatter que c'était celle qu'il aimait. «Quoi! la belle princesse Florine, s'écria-t-il, pense à moi d'une manière si généreuse et si engageante? — Seigneur, lui dit-on, vous vous méprenez au nom; nous venons de la part de l'aimable Truitonne. — C'est Truiton-

ne qui me veut pour son chevalier! dit le roi d'un air froid et sérieux, je suis fâché de ne pouvoir accepter cet honneur, mais un souverain n'est pas assez maître de lui pour prendre les engagements qu'il voudrait. Je sais ceux d'un chevalier, je voudrais les remplir tous, et j'aime mieux ne pas recevoir la grâce qu'elle m'offre que de m'en rendre indigne.» Il remit aussitôt le cœur, la chaîne et le livre dans la même corbeille; puis il renvoya tout chez la reine, qui pensa étouffer de rage avec sa fille, de la manière méprisante dont le roi étranger avait reçu une faveur si particulière.

Lorsqu'il put aller chez le roi et la reine, il se rendit dans leur appartement: il espérait que Florine y serait, il regardait de tous côtés pour la voir. Dès qu'il entendait entrer quelqu'un dans la chambre, il tournait la tête brusquement vers la porte; il paraissait inquiet et chagrin. La malicieuse reine devinait assez ce qui se passait dans son âme, mais elle n'en faisait pas semblant. Elle ne lui parlait que de parties de plaisir, il répondait tout de travers; enfin il demanda où était la princesse Florine. «Seigneur, lui dit fièrement la reine, le roi son père a défendu qu'elle sorte de chez elle jusqu'à ce que ma fille soit mariée. — Et quelle raison, répliqua le roi, peut-on avoir de tenir cette belle personne prisonnière? — Je l'ignore, dit la reine; et quand je le saurais, je pourrais me dispenser de vous le dire.» Le roi se sentait dans une colère inconcevable; il regardait Truitonne de travers, et songeait en lui-même que c'était à cause de ce petit monstre qu'on lui dérobait le plaisir de voir la princesse. Il quitta promptement la reine: sa présence lui causait trop de peine.

Quand il fut revenu dans sa chambre, il dit à un jeune prince qui l'avait accompagné, et qu'il aimait fort, de donner tout ce qu'on voudrait au monde pour gagner quelqu'une des femmes de la princesse, afin qu'il pût lui parler un moment. Ce prince trouva aisément des dames du palais qui entrèrent dans la confidence; il y en eut une qui l'assura que le soir même Florine serait à une petite fenêtre basse qui répondait sur le jardin, et que par là elle pourrait lui parler, pourvu qu'il prît de grandes précautions afin qu'on ne le sût pas: «car, ajouta-t-elle, le roi et la reine sont si sévères qu'ils me feraient mourir s'ils découvraient que j'eusse favorisé la passion de Charmant.» Le prince, ravi d'avoir amené l'affaire jusque-là, lui promit tout ce qu'elle voulait, et courut faire sa cour au roi en lui annonçant l'heure du rendez-vous. Mais la mauvaise confidente ne manqua pas d'aller avertir la reine de ce qui se passait et de prendre ses ordres. Aussitôt elle pensa qu'il fallait envoyer sa fille à la petite fenêtre; elle l'instruisit bien, et Truitonne ne manqua à rien, quoiqu'elle fût naturellement une grande bête.

La nuit était si noire qu'il aurait été impossible au roi de s'apercevoir de la tromperie qu'on lui faisait, quand bien même il n'aurait pas été aussi prévenu qu'il l'était, de sorte qu'il s'approcha de la fenêtre avec des transports de joie inexprimables: il dit à Truitonne tout ce qu'il aurait dit à Florine pour la persuader de sa passion. Truitonne, profitant de la conjoncture, lui dit qu'elle se trouvait la plus malheureuse personne du monde d'avoir une belle-mère si cruelle, et qu'elle aurait toujours à souffrir jusqu'à ce que sa fille fût mariée. Le roi l'assura que, si elle le voulait pour son époux, il serait ravi de partager avec elle sa couronne et son cœur; là-dessus il tira sa bague de son doigt, et, la mettant à celui de Truitonne, il ajouta que c'était un gage éternel de sa foi, et qu'elle n'avait qu'à prendre l'heure pour partir en diligence. Truitonne répondit le mieux qu'elle put à ses empressements; il s'apercevait bien qu'elle ne disait rien qui vaille, et cela lui aurait fait de la peine, tant il se persuadait que la crainte d'être surprise par la reine lui ôtait la liberté de son esprit. Il ne la quitta qu'à condition de revenir le lendemain à pareille heure, ce qu'elle lui promit de tout son cœur.

La reine ayant su l'heureux succès de cette entrevue, elle s'en promit tout. Et en effet, le jour étant concerté, le roi vint la prendre dans une chaise volante, traînée par des grenouilles ailées: un enchanteur de ses amis lui avait fait ce présent. La nuit était fort noire, Truitonne sortit mystérieusement par une petite porte, et le roi, qui l'attendait, la reçut entre ses bras et lui jura cent fois une fidélité éternelle. Mais, comme il n'était pas d'humeur à voler longtemps dans sa chaise volante sans épouser la princesse qu'il aimait, il lui demanda où elle voulait que les noces se fissent. Elle lui dit qu'elle avait pour marraine une fée, qu'on nommait Soussio, qui était fort célèbre; qu'elle était d'avis d'aller à son château. Quoique le roi ne sût pas le chemin, il n'eut qu'à dire à ses grosses grenouilles de l'y conduire; elles connaissaient la carte générale de l'univers, et en peu de temps elles rendirent le roi et Truitonne chez Soussio.

Le château était si bien éclairé qu'en arrivant le roi aurait connu son erreur, si la princesse ne s'était soigneusement couverte de son voile. Elle demanda sa marraine, elle lui parla en particulier, et lui conta comme quoi elle avait attrapé Charmant, et qu'elle la priait de l'apaiser. «Ah! ma fille, dit la fée, la chose ne sera pas facile, il aime trop Florine; je suis certaine qu'il va nous faire désespérer.» Cependant le roi les attendait dans une salle, dont les murs étaient de diamants si clairs et si nets qu'il vit au travers Soussio et Truitonne causer ensemble. Il croyait rêver. «Quoi! disait-il, ai-je été trahi? Les démons ont-ils apporté cette ennemie de notre repos? Vient-elle pour troubler mon mariage? Ma chère Florine ne paraît point, son père l'a peut-être suivie!» Il pensait mille choses qui commençaient à le désoler. Mais ce fut bien pis quand elles entrèrent dans la salle, et que Soussio lui dit d'un ton absolu: «Roi Charmant, voici la princesse Truitonne, à laquelle vous avez donné votre foi; elle est ma filleule, et je souhaite que vous l'épousiez tout à l'heure. — Moi, s'écria-t-il, moi, j'épouserais ce petit monstre! Vous me croyez d'un naturel bien docile quand vous me faites de telles propositions: sachez que je ne lui ai rien promis; si elle dit autrement elle en a... — N'achevez pas, interrompit Soussio, et ne soyez jamais assez hardi pour me manquer de respect. — Je consens, répliqua le roi, de vous respecter autant qu'une fée est respectable, pourvu que vous me rendiez ma princesse. — Est-ce que je ne la suis pas, parjure? dit Truitonne en lui montrant sa bague. A qui as-tu donné cet anneau pour gage de ta foi? A qui as-tu parlé à la petite fenêtre, si ce n'est à moi? — Comment donc! reprit-il, j'ai été déçu et trompé? Non, non, je n'en serai point la dupe. Allons, allons, mes grenouilles, mes grenouilles, je veux partir tout à l'heure.

— Ho! ce n'est pas une chose en votre pouvoir, si je n'y consens, » dit Soussio. Elle le toucha, et ses pieds s'attachèrent au parquet comme si on les y avait cloués. «Quand vous me lapideriez, lui dit le roi, quand vous m'écorcheriez, je ne serai point à une autre qu'à Florine; j'y suis résolu, et vous pouvez après cela user de votre pouvoir à votre gré.» Soussio employa la douceur, les menaces, les promesses, les prières. Truitonne pleura, cria, gémit, se fâcha, s'apaisa. Le roi ne disait pas un mot, et les regardant toutes deux avec l'air du monde le plus indigné, il ne répondait à rien à tous leurs verbiages.

Il se passa ainsi vingt jours et vingt nuits sans qu'elles cessassent de parler, sans manger, sans dormir et sans s'asseoir. Enfin Soussio, à bout et fatiguée, dit au roi: «Ho bien, vous êtes un opiniâtre qui ne voulez pas entendre raison; choisissez, ou d'être sept ans en pénitence pour avoir donné votre parole sans la tenir, ou d'épouser ma filleule.» Le roi, qui avait gardé un profond silence, s'écria tout à coup: «Faites de moi tout ce que vous voudrez, pourvu que je sois délivré de cette maussade. — Maussade vous-même, dit Truitonne en colère; je vous trouve un plaisant roitelet, avec votre équipage marécageux, de venir jusqu'en mon pays me dire des injures et manquer à votre parole. Si vous aviez pour quatre deniers d'honneur, en useriez-vous ainsi? — Voilà des reproches touchants, dit le roi d'un ton railleur. Voyez-vous qu'on a tort de ne pas prendre une si belle personne pour sa femme! — Non, non, elle ne la sera pas, s'écria Soussio en colère, tu n'as qu'à t'envoler par cette fenêtre, si tu veux, car tu seras sept ans oiseau bleu.»

En même temps le roi change de figure; ses bras se couvrent de plumes et forment des ailes; ses jambes et ses pieds deviennent noirs et menus; il lui croît des ongles crochus; son corps s'apetisse; il est tout garni de longues plumes fines et déliées de bleu céleste; ses yeux s'arrondissent et brillent comme des soleils; son nez n'est plus qu'un bec d'ivoire; il s'élève sur sa tête une aigrette blanche que forme une couronne; il chante à ravir et parle de même. En cet état il jette

103

un cri douloureux de se voir ainsi métamorphosé, et s'envole à tire-d'aile pour fuir le funeste palais de Soussio.

Dans la mélancolie qui l'accable, il voltige de branche en branche, et ne choisit que les arbres consacrés à l'amour ou à la tristesse; tantôt sur les myrtes, tantôt sur les cyprès, il chante des airs pitoyables, où il déplore sa méchante fortune et celle de Florine. «En quel lieu ses ennemis l'ont-ils cachée? disait-il. Qu'est devenue cette belle victime? La barbarie de la reine, la laisse-t-elle encore respirer? Où la chercherai-je? Suis-je condamné à passer sept ans sans elle? Peut-être que pendant ce temps on la mariera, et que je perdrai pour jamais l'espérance qui soutient ma vie.» Ces différentes pensées affligeaient l'oiseau bleu à tel point qu'il voulait se laisser mourir.

D'un autre côté, la fée Soussio renvoya Truitonne à la reine, qui était bien inquiète comment les noces se seraient passées. Mais quand elle vit sa fille et qu'elle lui raconta tout ce qui venait d'arriver, elle se mit dans une colère terrible, dont le contrecoup retomba sur la pauvre Florine. «Il faut, dit-elle, qu'elle se repente plus d'une fois d'avoir su plaire à Charmant.» Elle monta dans la tour avec Truitonne, qu'elle avait parée de ses plus riches habits: elle portait une couronne de diamants sur sa tête, et trois filles des plus riches barons de l'état tenaient la queue de son manteau royal; elle avait au pouce l'anneau du roi Charmant, que Florine remarqua le jour qu'ils parlèrent ensemble; elle fut étrangement surprise de voir Truitonne dans un si pompeux appareil. «Voilà ma fille qui vient vous apporter des présents de sa noce, dit la reine; le roi Charmant l'a épousée: il l'aime à la folie; il n'a jamais été des gens plus satisfaits.» Aussitôt on étale devant la princesse des étoffes d'or et d'argent, des pierreries, des dentelles, des rubans, qui étaient dans de grandes corbeilles de filigrane d'or. En lui présentant toutes ces choses, Truitonne ne manquait pas de faire briller l'anneau du roi; de sorte que la princesse Florine ne pouvant plus douter de son malheur, elle s'écria d'un air désespéré qu'on ôtât de ses yeux tous ces présents si funestes, qu'elle ne voulait plus porter que du noir, ou plutôt qu'elle voulait présentement mourir. Elle s'évanouit, et la cruelle reine, ravie d'avoir si bien réussi, ne permit pas qu'on la secourût; elle la laissa seule dans le plus déplorable état du monde, et fut conter malicieusement au roi que sa fille était si transportée de tendresse que rien n'égalait les extravagances qu'elle faisait; qu'il fallait bien se donner de garde de la laisser sortir de la tour. Le roi lui dit qu'elle pouvait gouverner cette affaire à sa fantaisie, et qu'il en serait toujours satisfait.

Lorsque la princesse revint de son évanouissement, et qu'elle réfléchit sur la conduite qu'on tenait avec elle, aux mauvais traitements qu'elle recevait de son indigne marâtre, et à l'espérance qu'elle perdait pour jamais d'épouser le roi Charmant, sa douleur devint si vive qu'elle pleura toute la nuit; en cet état elle se mit à la fenêtre, où elle fit des regrets fort tendres et fort touchants. Quand le jour approcha, elle la ferma et continua de pleurer.

La nuit suivante elle ouvrit la fenêtre, elle poussa de profonds soupirs et des sanglots, elle versa un torrent de larmes; le jour vint, elle se cacha dans sa chambre. Cependant le roi Charmant, ou, pour mieux dire, le bel oiseau bleu, ne cessait point de voltiger autour du palais; il jugeait que sa chère princesse y était renfermée, et, si elle faisait de tristes plaintes, les siennes ne l'étaient pas moins; il s'approchait des fenêtres le plus qu'il pouvait pour regarder dans les chambres, mais la crainte que Truitonne ne l'aperçût et ne se doutât que c'était lui l'empêchait de faire ce qu'il aurait voulu. «Il y va de ma vie, disait-il en lui-même; si ces mauvaises princesses découvraient où je suis, elles voudraient se venger; il faudrait que je m'éloignasse ou que je fusse exposé aux derniers dangers.» Ces raisons l'obligèrent à garder de grandes mesures, et d'ordinaire il ne chantait que la nuit.

Il y avait, vis-à-vis de la fenêtre où Florine se mettait, un cyprès d'une hauteur prodigieuse; l'oiseau bleu vint s'y percher. Il y fut à peine qu'il entendit une personne qui se plaignait. «Souffrirai-je encore longtemps? disait-elle. La mort ne viendra-t-elle point à mon secours? Ceux qui la craignent ne la voient que trop tôt; je la désire, et la cruelle me fuit. Ah! barbare reine, que t'ai-je fait pour me retenir dans une captivité si affreuse? N'as-tu pas assez d'autres endroits pour me désoler? Tu n'as qu'à me rendre témoin du bonheur que ton indigne fille goûte avec le roi Charmant!» L'oiseau bleu n'avait pas perdu un mot de cette plainte; il en demeura bien surpris, et il attendait le jour avec la dernière impatience pour voir la dame affligée; mais, avant qu'il vînt, elle avait fermé la fenêtre et s'était retirée.

L'oiseau, curieux, ne manqua pas de revenir la nuit suivante. Il faisait clair de lune: il vit une fille à la fenêtre de la tour, qui commençait ses regrets. «Fortune, disait-elle, toi qui me flattais de régner, toi qui m'avais rendu l'amour de mon père, que t'ai-je fait pour me plonger tout d'un coup dans les plus amères douleurs? Est-ce dans un âge aussi tendre que le mien qu'on doit commencer à ressentir ton inconstance? Reviens, barbare, reviens s'il est possible; je te demande pour toute faveur de terminer ma fatale destinée.» L'oiseau bleu écoutait; et plus il écoutait, plus il se persuadait que c'était son aimable princesse qui se plaignait. Il lui dit: «Adorable Florine, merveille de nos jours! pourquoi voulez-vous finir si promptement les vôtres? Vos maux ne sont point sans remède. — Hé! qui me parle, s'écria-t-elle, d'une manière si consolante? — Un roi malheureux, reprit l'oiseau, qui vous aime et n'aimera jamais que vous. — Un roi qui m'aime! ajouta-t-elle. Est-ce ici un piège que me tend mon ennemie? Mais, au fond, qu'y gagnera-t-elle? Si elle cherche à découvrir mes sentiments, je suis prête à lui en faire l'aveu. — Non, ma princesse, répondit-il, l'amant qui vous parle n'est point capable de vous trahir.» En achevant ces mots il vola sur la fenêtre. Florine eut d'abord grande peur d'un oiseau si extraordinaire, qui parlait avec autant d'esprit que s'il avait été homme, quoiqu'il conservât le petit son de voix d'un rossignol; mais la beauté de son plumage et ce qu'il lui dit la rassura. «M'est-il permis de vous revoir, ma princesse? s'écria-t-il. Puis-je goûter un bonheur si parfait sans mourir de joie? Mais, hélas! que cette joie est troublée par votre captivité et l'état où la méchante Soussio m'a réduit pour sept ans! — Et qui êtes-vous, charmant oiseau? dit la princesse en le caressant. — Vous avez dit mon nom, ajouta le roi, et vous feignez de ne me pas connaître. — Quoi! le plus grand roi du monde! Quoi! le roi Charmant, dit la princesse, serait le petit oiseau que je tiens? — Hélas! belle Florine, il n'est que trop vrai, reprit-il, et si quelque chose m'en peut consoler, c'est que j'ai préféré cette peine à celle de renoncer à la passion que j'ai pour vous. — Pour moi! dit Florine. Ah! ne cherchez point à me tromper! Je sais, je sais que vous avez épousé Truitonne; j'ai reconnu votre anneau à son doigt; je l'ai vue toute brillante des diamants que vous lui avez donnés; elle est venue m'insulter dans ma triste prison, chargée d'une riche couronne et d'un manteau royal qu'elle tenait de votre main, pendant que j'étais chargée de chaînes et de fers.

— Vous avez vu Truitonne en cet équipage, interrompit le roi; sa mère et elle ont osé vous dire que ces joyaux venaient de moi? O ciel! est-il possible que j'entende des mensonges si affreux, et que je ne puisse m'en venger aussitôt que je le souhaite! Sachez qu'elles ont voulu me décevoir, qu'abusant de votre nom, elles m'ont engagé d'enlever cette laide Truitonne; mais aussitôt que je connus mon erreur, je voulus l'abandonner, et je choisis enfin d'être oiseau bleu sept ans de suite plutôt que de manquer à la fidélité que je vous ai vouée.»

Florine avait un plaisir si sensible d'entendre parler son aimable amant qu'elle ne se souvenait plus des malheurs de sa prison. Que ne lui dit-elle pas pour le consoler de sa triste aventure, et pour le persuader qu'elle ne ferait pas moins pour lui qu'il avait fait pour elle. Le jour paraissait, la plupart des officiers étaient déjà levés, que l'oiseau bleu et la princesse parlaient encore ensemble; ils se séparèrent avec mille peines, après s'être promis que toutes les nuits ils s'entretiendraient ainsi.

La joie de s'être trouvés était si extrême qu'il n'est point de termes capables de l'exprimer; chacun de son côté remerciait l'amour et la fortune. Cependant Florine s'inquiétait pour l'oiseau bleu. «Qui le garantira des chasseurs, disait-elle, ou de la serre aiguë de quelque aigle ou de quelque vautour affamé, qui le mangera avec autant d'appétit que si ce n'était pas un grand roi? O ciel! que deviendrais-je si ses plumes légères et fines, poussées par le vent, venaient jusque dans ma prison m'annoncer le désastre que je crains?» Cette pensée empêcha que la pauvre princesse fermât les yeux: car lorsque l'on aime, les illusions paraissent des vérités, et ce que l'on croirait impossible dans un autre temps semble aisé en celui-là; de sorte qu'elle passa le jour à pleurer, jusqu'à ce que l'heure fût venue de se mettre à sa fenêtre.

Le charmant oiseau, caché dans le creux d'un arbre, avait été tout le jour occupé à penser à sa belle princesse. «Que je suis content, disait-il, de l'avoir retrouvée! qu'elle est engageante! que je sens vivement les bontés qu'elle me témoigne!» Ce tendre amant comptait jusqu'aux moindres moments de la pénitence qui l'empêchait de l'épouser, et jamais l'on n'en a désiré la fin avec plus de passion. Comme il voulait faire à Florine toutes les galanteries dont il était capable, il vola jusqu'à la ville capitale de son royaume; il fut à son palais, il entra dans son cabinet par une vitre qui était cassée; il prit des pendants d'oreilles de diamants, si parfaits et si beaux qu'il n'y en avait point au monde qui en approchassent; il les apporta le soir à Florine et la pria de s'en parer. «J'y consentirais, lui dit-elle, si vous me voyiez le jour; mais, puisque je ne vous parle que la nuit, je ne les mettrai pas.» L'oiseau lui promit de prendre si bien son temps qu'il viendrait à la tour à l'heure qu'elle voudrait; aussitôt elle mit les pendants d'oreilles, et la nuit se passa à causer comme s'était passée l'autre.

Le lendemain l'oiseau bleu retourna dans son royaume; il fut à son palais; il entra dans son cabinet par la vitre rompue, et il en apporta les plus riches bracelets que l'on eût encore vus: ils étaient d'une seule émeraude, taillés en facettes, creusés par le milieu pour y passer la main et le bras. «Pensez-vous, lui dit la princesse, que mes sentiments pour vous aient besoin d'être cultivés par des présents? Ah! que vous les connaîtriez mal! — Non, madame, répliqua-t-il, je ne crois pas que les bagatelles que je vous offre soient nécessaires pour me conserver votre tendresse; mais la mienne serait blessée si je négligeais aucune occasion de vous marquer mon attention, et, quand vous ne me voyez point, ces petits bijoux me rappellent à votre souvenir.» Florine lui dit là-dessus mille choses obligeantes, auxquelles il répondit par mille autres qui ne l'étaient pas moins.

La nuit suivante, l'oiseau amoureux ne manqua pas d'apporter à sa belle une montre d'une grandeur raisonnable, qui était dans une perle; l'excellence du travail surpassait celle de la matière. «Il est inutile de me régaler d'une montre, dit-elle galamment; quand vous êtes éloigné de moi, les heures me paraissent sans fin; quand vous êtes avec moi, elles passent comme un songe: ainsi je ne puis leur donner une juste mesure. — Hélas! ma princesse, s'écria l'oiseau bleu, j'en ai la même opinion que vous, et je suis persuadé que je renchéris encore sur la délicatesse. — Après ce que vous souffrez pour me conserver votre cœur, répliqua-t-elle, je suis en état de croire que vous avez porté l'amitié et l'estime aussi loin qu'elles peuvent aller. »

Dès que le jour paraissait, l'oiseau volait dans le fond de son arbre, où les fruits lui servaient de nourriture; quelquefois encore il chantait de beaux airs, sa voix ravissait les passants; ils l'entendaient et ne voyaient personne: aussi il était conclu que c'étaient des esprits. Cette opinion devint si commune que l'on n'osait entrer dans le bois; on rapportait mille aventures fabuleuses qui s'y étaient passées, et la terreur générale fit la sûreté particulière de l'oiseau bleu.

Il ne se passait aucun jour sans qu'il fît un présent à Florine: tantôt un collier de perles, ou des bagues des plus brillantes et des mieux mises en œuvre, des attaches de diamants, des poinçons, des bouquets de pierreries qui imitaient la couleur des fleurs, des livres agréables, des médailles; enfin, elle avait un amas de richesses merveilleuses. Elle ne s'en parait jamais que la nuit, pour plaire au roi, et le jour, n'ayant point d'endroit à les mettre, elle les cachait soigneusement dans sa paillasse.

Deux années s'écoulèrent ainsi sans que Florine se plaignît une seule fois de sa captivité. Et comment s'en serait-elle plainte? Elle avait la satisfaction de parler toute la nuit à ce qu'elle aimait; il ne s'est jamais tant dit de jolies choses. Bien qu'elle ne vît personne et que l'oiseau passât le jour dans le creux d'un arbre, ils avaient mille nouveautés à se raconter; la matière était inépuisable, leur cœur et leur esprit fournissaient abondamment des sujets de conversation.

Cependant la malicieuse reine qui la retenait si cruellement en prison faisait d'inutiles efforts pour marier Truitonne; elle envoyait des ambassadeurs la proposer à tous les princes dont elle connaissait le nom; dès qu'ils arrivaient on les congédiait brusquement. «S'il s'agissait de la princesse Florine, vous seriez reçus avec joie, leur disait-on; mais, pour Truitonne, elle peut rester vestale sans que personne s'y oppose. » A ces nouvelles, sa mère et elle s'emportaient de colère contre l'innocente princesse qu'elles persécutaient. «Quoi! malgré sa captivité, cette arrogante nous traversera? disaient-elles. Quel moyen de lui pardonner les mauvais tours qu'elle nous fait? Il faut qu'elle ait des correspondances secrètes dans les pays étrangers; c'est tout au moins une criminelle d'état; traitons-la sur ce pied, et cherchons tous les moyens de la convaincre. »

Elles finirent leur conseil si tard qu'il était près de minuit lorsqu'elles résolurent de monter dans la tour pour l'interroger. Elle était avec l'oiseau bleu à la fenêtre, parée de ses pierreries, coiffée de ses beaux cheveux, avec un soin qui n'est pas naturel aux personnes affligées; sa chambre et son lit étaient jonchés de fleurs, et quelques pastilles d'Espagne qu'elle venait de brûler répandaient une odeur excellente. La reine écouta à la porte; elle crut entendre chanter un

air à deux parties, car Florine avait une voix presque céleste; en voici les paroles, qui lui parurent tendres:

*Que notre sort est déplorable,*
*Et que nous souffrons de tourment*
*Pour nous aimer trop constamment.*
*Mais c'est en vain qu'on nous accable;*
*Malgré nos cruels ennemis*
*Nos cœurs seront toujours unis.*

Quelques soupirs finirent leur petit concert.

«Ah! ma Truitonne, nous sommes trahies!» s'écria la reine en ouvrant brusquement la porte et se jetant dans la chambre. Que devint Florine à cette vue? Elle poussa promptement sa petite fenêtre pour donner le temps à l'oiseau royal de s'envoler. Elle était bien plus occupée de sa conservation que de la sienne propre; mais il ne se sentit pas la force de s'éloigner; ses yeux perçants lui avaient découvert le péril où sa princesse était exposée. Il avait vu la reine et Truitonne: quelle affliction de n'être pas en état de défendre sa maîtresse! Elles s'approchèrent d'elle comme des furies qui voulaient la dévorer. «L'on sait vos intrigues contre l'état, s'écria la reine; ne pensez pas que votre rang vous sauve des châtiments que vous méritez. — Et avec qui, madame? répliqua la princesse. N'êtesvous pas ma geôlière depuis deux ans? Ai-je vu d'autres personnes que celles que vous m'avez envoyées?» Pendant qu'elle parlait, la reine et sa fille l'examinaient avec une surprise sans pareille; son admirable beauté et son extraordinaire parure les éblouissaient. «Et d'où vous viennent, madame, dit la reine, ces pierreries qui brillent plus que le soleil? Nous ferez-vous accroire qu'il y en a des mines dans cette tour? — Je les y ai trouvées, répliqua Florine, c'est tout ce que j'en sais.» La reine la regardait attentivement pour pénétrer jusqu'au fond de son cœur ce qui s'y passait. «Nous ne sommes pas vos dupes, dit-elle; vous pensez nous en faire accroire, mais, princesse, nous savons ce que vous faites depuis le matin jusqu'au soir. On vous a donné tous ces bijoux dans la seule vue de vous obliger à vendre le royaume de votre père. — Je serais fort en état de le livrer, répondit-elle avec un sourire dédaigneux: une princesse infortunée, qui languit dans les fers depuis si longtemps, peut beaucoup dans un complot de cette nature! — Et pour qui donc, reprit la reine, êtes-vous coiffée comme une petite coquette, votre chambre pleine d'odeurs, et votre personne si magnifique qu'au milieu de la cour vous seriez moins parée? — J'ai assez de loisir, dit la princesse, il n'est pas extraordinaire que j'en donne quelques moments à m'habiller; j'en passe tant d'autres à pleurer mes malheurs que ceux-là ne sont pas à me reprocher. — Çà, çà, voyons, dit la reine, si cette personne n'a point quelque traité

110

fait avec les ennemis.» Elle chercha elle-même partout, et, venant à la paillasse, qu'elle fit vider, elle y trouva une si grande quantité de diamants, de perles, de rubis, d'émeraudes et de topazes, qu'elle ne savait d'où cela venait. Elle avait résolu de mettre en quelque lieu des papiers pour perdre la princesse; dans le temps qu'on n'y prenait pas garde, elle en cacha dans la cheminée; mais par bonheur l'oiseau bleu était perché au-dessus, qui voyait mieux qu'un lynx et qui écoutait tout. Il s'écria: «Prends garde à toi, Florine, voilà ton ennemie qui veut te faire une trahison.» Cette voix si peu attendue épouvanta à tel point la reine qu'elle n'osa faire ce qu'elle avait médité. «Vous voyez, madame, dit la princesse, que les esprits qui volent en l'air me sont favorables. — Je crois, dit la reine outrée de colère, que les démons s'intéressent pour vous; mais malgré eux votre père saura se faire justice. — Plût au ciel, s'écria Florine, n'avoir à craindre que la fureur de mon père! Mais la vôtre, madame, est plus terrible.»

La reine la quitta, troublée de tout ce qu'elle venait de voir et d'entendre; elle tint conseil sur ce qu'elle devait faire contre la princesse: on lui dit que, si quelque fée ou quelque enchanteur la prenaient sous leur protection, le vrai secret pour les irriter serait de lui faire de nouvelles peines, et qu'il serait mieux d'essayer de découvrir son intrigue. La reine approuva cette pensée; elle envoya coucher dans sa chambre une jeune fille qui contrefaisait l'innocente; elle eut ordre de lui dire qu'on la mettait auprès d'elle pour la servir. Mais quelle apparence de donner dans un panneau, si grossier? La princesse la regarda comme son espionne. L'on n'en peut ressentir une douleur plus violente. «Quoi! je ne parlerai plus à cet oiseau qui m'est si cher? disait-elle. Il m'aidait à supporter mes malheurs, je soulageais les siens; notre tendresse nous suffisait. Que va-t-il faire? Que ferai-je moi-même?» En pensant à toutes ces choses, elle versait des ruisseaux de larmes.

Elle n'osait plus se mettre à la petite fenêtre quoiqu'elle l'entendît voltiger autour; elle mourait d'envie de lui ouvrir, mais elle craignait d'exposer la vie de ce cher amant. Elle passa un mois entier sans paraître. L'oiseau se désespérait. Quelles plaintes ne faisait-il pas? Comment vivre sans voir sa princesse? Il n'avait jamais mieux ressenti les maux de l'absence et ceux de sa métamorphose; il cherchait inutilement des remèdes à l'un et à l'autre; après s'être creusé la tête, il ne trouvait rien qui le soulageât.

L'espionne de la princesse, qui veillait jour et nuit depuis un mois, se sentit si accablée de sommeil qu'enfin elle s'endormit profondément. Florine s'en aperçut; elle ouvrit sa petite fenêtre et dit:

*Oiseau bleu, couleur du temps,*
*Vole à moi promptement.*

Ce sont là ses propres termes auxquels l'on n'a rien voulu changer. L'oiseau les entendit si bien qu'il vint promptement sur la fenêtre. Quelle joie de se revoir! Qu'ils avaient de choses à se dire! Les amitiés et les protestations de fidélité se renouvelèrent mille et mille fois. La princesse n'ayant pu s'empêcher de répandre des larmes, son amant s'attendrit beaucoup et la consola de son mieux. Enfin, l'heure de se quitter étant venue sans que la geôlière se fût réveillée, ils se dirent l'adieu du monde le plus touchant. Le lendemain encore l'espionne s'endormit; la princesse diligemment se mit à la fenêtre, puis elle dit comme la première fois:

*Oiseau bleu, couleur du temps,*
*Vole à moi promptement.*

Aussitôt l'oiseau vint, et la nuit se passa comme l'autre, sans bruit et sans éclat, dont nos amants étaient ravis; ils se flattaient que la surveillante prendrait tant de plaisir à dormir qu'elle en ferait autant toutes les nuits. Effectivement la troisième se passa encore très heureusement; mais, pour celle qui suivit, la dormeuse ayant entendu quelque bruit, elle écouta sans faire semblant de rien; puis elle regarda de son mieux, et vit au clair de la lune le plus bel oiseau de l'univers qui parlait à la princesse, qui la caressait avec sa patte, qui la béquetait doucement; enfin elle entendit plusieurs choses de leur conversation, et demeura très étonnée, car l'oiseau parlait comme un amant, et la belle Florine lui répondait avec tendresse.

Le jour parut, ils se dirent adieu; et comme s'ils eussent eu un pressentiment de leur prochaine disgrâce, ils se quittèrent avec une peine extrême. La princesse se jeta sur son lit toute baignée de ses larmes, et le roi retourna dans le creux de son arbre. Sa geôlière courut chez la reine; elle lui apprit tout ce qu'elle avait vu et entendu. La reine envoya quérir Truitonne et ses confidentes; elles raisonnèrent longtemps ensemble, et conclurent que l'oiseau bleu était le roi Charmant. « Quel affront! s'écria la reine. Quel affront, ma Truitonne! Cette insolente princesse que je croyais si affligée jouissait en repos des agréables conversations de notre ingrat. Ah! je me vengerai d'une manière si sanglante qu'il en sera parlé. » Truitonne la pria de n'y perdre pas un moment; et comme elle se croyait plus intéressée dans l'affaire que la reine, elle mourait de joie lorsqu'elle pensait à tout ce qu'on ferait pour désoler l'amant et la maîtresse.

La reine renvoya l'espionne dans la tour; elle lui ordonna de ne témoigner ni soupçon ni curiosité, et de paraître plus endormie qu'à l'ordinaire. Elle se coucha de bonne heure, elle ronfla de son mieux; et la pauvre princesse déçue, ouvrant la petite fenêtre, s'écria:

*Oiseau bleu, couleur du temps,*
*Vole à moi promptement.*

Mais elle l'appela toute la nuit inutilement; il ne parut point: car la méchante reine avait fait attacher au cyprès des épées, des couteaux, des rasoirs, des poignards; et lorsqu'il vint à tire-d'aile s'abattre dessus, ces armes meurtrières lui coupèrent les pieds; il tomba sur d'autres qui lui coupèrent les ailes; et enfin, tout percé, il se sauva avec mille peines jusqu'à son arbre, laissant une longue trace de sang.

Que n'étiez-vous là, belle princesse, pour soulager cet oiseau royal? Mais elle serait morte si elle l'avait vu dans un état si déplorable! Il ne voulait prendre aucun soin de sa vie, persuadé que c'était Florine qui lui avait fait jouer ce mauvais tour. «Ah! barbare, disait-il douloureusement, est-ce ainsi que tu payes la passion la plus pure et la plus tendre qui sera jamais? Si tu voulais ma mort, que ne me la demandais-tu toi-même? elle m'aurait été chère de ta main. Je venais te trouver avec tant d'amour et de confiance! Je souffrais pour toi, et je souffrais sans me plaindre! Quoi! tu m'as sacrifié à la plus cruelle des femmes! Elle était notre ennemie commune, tu viens de faire ta paix à mes dépens. C'est toi, Florine, c'est toi qui me poignardes! Tu as emprunté la main de Truitonne, et tu l'as conduite jusque dans mon sein.» Ces funestes idées l'accablèrent à tel point qu'il résolut de mourir.

Mais son ami l'enchanteur, qui avait vu revenir chez lui les grenouilles volantes avec le chariot, sans que le roi parût, se mit si en peine de ce qui pouvait lui être arrivé qu'il parcourut huit fois toute la terre pour le chercher, sans qu'il lui fût possible de le trouver. Il faisait son neuvième tour, lorsqu'il passa dans le bois où il était; et selon les règles qu'il s'était prescrites, il sonna du cor assez long-temps, et puis il cria cinq fois de toute sa force: «Roi Charmant, roi Charmant, où êtes-vous?» Le roi reconnut la voix de son meilleur ami. «Approchez, lui dit-il, de cet arbre, et voyez le malheureux roi que vous chérissez noyé dans son sang.» L'enchanteur, tout surpris, regardait de tous côtés sans rien voir. «Je suis oiseau bleu», dit le roi d'une voix faible et languissante. A ces mots, l'enchanteur le trouva sans peine dans son petit nid. Un autre que lui aurait été étonné plus qu'il ne le fut; mais il n'ignorait aucun tour de l'art nécromancien; il ne lui en coûta que quelques paroles pour arrêter le sang qui coulait encore; et avec des herbes qu'il trouva dans le bois, et sur lesquelles il dit deux mots de grimoire, il guérit le roi aussi parfaitement que s'il n'avait pas été blessé.

Il le pria ensuite de lui apprendre par quelle aventure il était devenu oiseau, et qui l'avait blessé si cruellement. Le roi contenta sa curiosité: il lui dit que c'était Florine qui avait décelé le mystère amoureux des visites secrètes qu'il lui rendait, et que, pour faire sa paix avec la reine, elle avait consenti à laisser garnir le cyprès de poignards et de rasoirs par lesquels il avait été presque haché; il se récria mille fois sur l'infidélité de cette princesse, et dit qu'il s'estimerait heureux d'être mort avant que d'avoir connu son méchant cœur. Le magicien se déchaîna contre elle et contre toutes les femmes; il conseilla au roi de l'oublier. «Quel malheur serait le vôtre, lui dit-il, si vous étiez capable d'aimer plus longtemps cette ingrate? Après ce qu'elle vient de vous faire, l'on en doit tout craindre.» L'oiseau bleu n'en put demeurer d'accord, il aimait encore trop chèrement Florine; et l'enchanteur, qui connut ses sentiments malgré le soin qu'il prenait de les cacher, lui dit d'une manière agréable:

*Accablé d'un cruel malheur,*
*En vain l'on parle et l'on raisonne;*
*On n'écoute que sa douleur,*
*Et point les conseils qu'on nous donne.*
*Il faut laisser faire le temps*
*Chaque chose a son point de vue;*
*Et, quand l'heure n'est pas venue,*
*On se tourmente vainement.*

Le royal oiseau en convint, et pria son ami de le porter chez lui et de le mettre dans une cage où il fût à couvert de la patte du chat et de toute arme meurtrière. «Mais, lui dit l'enchanteur, resterez-vous encore cinq ans dans un état si déplorable et si peu convenable à vos affaires et à votre dignité? Car enfin, vous avez des ennemis qui soutiennent que vous êtes mort; ils veulent envahir votre royaume: je crains bien que vous ne l'ayez perdu avant d'avoir recouvré votre première forme. — Ne pourrai-je pas, répliqua-t-il, aller dans mon palais, et gouverner tout comme je faisais ordinairement?

— Oh! s'écria son ami, la chose est difficile! Tel qui veut obéir à un homme ne veut pas obéir à un perroquet; tel vous craint étant roi, étant environné de grandeur et de faste, qui vous arrachera toutes les plumes vous voyant un petit oiseau. — Ah! faiblesse humaine, brillant extérieur, s'écria le roi, encore que tu ne signifies rien pour le mérite et pour la vertu, tu ne laisses pas d'avoir des endroits décevants dont on ne saurait presque se défendre! Hé bien, continua-t-il, soyons philosophes, méprisons ce que nous ne pouvons obtenir, notre parti ne sera point le plus mauvais. — Je ne me rends pas si tôt, dit le magicien, j'espère de trouver quelques bons expédients.»

Florine, la triste Florine, désespérée de ne plus voir le roi, passait les jours et les nuits à sa fenêtre, répétant sans cesse:

*Oiseau bleu, couleur du temps,*
*Vole à moi promptement.*

La présence de son espionne ne l'en empêchait point; son désespoir était tel qu'elle ne mangeait plus rien. «Qu'êtes-vous devenu, roi Charmant? s'écriait-

114

elle. Nos communs ennemis vous ont-ils fait ressentir les cruels effets de leur rage? Avez-vous été sacrifié à leurs fureurs? Hélas! hélas! n'êtes-vous plus? Ne dois-je plus vous voir, ou, fatigué de mes malheurs, m'avez-vous abandonnée à la dureté de mon sort?» Que de larmes, que de sanglots suivaient ses tendres plaintes! Que les heures étaient devenues longues par l'absence d'un amant si aimable et si cher! La princesse, abattue, malade, maigre et changée, pouvait à peine se soutenir; elle était persuadée que tout ce qu'il y a de plus funeste était arrivé au roi.

La reine et Truitonne triomphaient; la vengeance leur faisait plus de plaisir que l'offense ne leur avait fait de peine. Et, au fond, de quelle offense s'agissait-il? Le roi Charmant n'avait pas voulu épouser un petit monstre qu'il avait mille sujets de haïr. Cependant le père de Florine, qui devenait vieux, tomba malade et mourut. La fortune de la méchante reine et de sa fille changea de face: elles étaient regardées comme des favorites qui avaient abusé de leur faveur. Le peuple mutiné courut au palais demander la princesse Florine, la reconnaissant pour souveraine. La reine, irritée, voulut traiter l'affaire avec hauteur; elle parut sur un balcon et menaça les mutins. En même temps la sédition devint générale; on enfonce les portes de son appartement, on le pille et on l'assomme à coups de pierres. Truitonne s'enfuit chez sa marraine la fée Soussio: elle ne courait pas moins de danger que sa mère.

Les grands du royaume s'assemblèrent promptement, et montèrent à la tour, où la princesse était fort malade: elle ignorait la mort de son père et le supplice de son ennemie. Quand elle entendit tant de bruit, elle ne douta pas qu'on ne vînt la prendre pour la faire mourir. Elle n'en fut point effrayée: la vie lui était odieuse depuis qu'elle avait perdu l'oiseau bleu. Mais ses sujets, s'étant jetés à ses pieds, lui apprirent le changement qui venait d'arriver à sa fortune. Elle n'en fut point émue. Ils la portèrent dans son palais, et la couronnèrent.

Les soins infinis que l'on prit de sa santé et l'envie qu'elle avait d'aller chercher l'oiseau bleu contribuèrent beaucoup à la rétablir, et lui donnèrent bientôt assez de force pour nommer un conseil, afin d'avoir soin de son royaume en son absence; puis elle prit pour des mille millions de pierreries, et elle partit une nuit toute seule, sans que personne sût où elle allait.

L'enchanteur qui prenait soin des affaires du roi Charmant, n'ayant pas assez de pouvoir pour détruire ce que Soussio avait fait, s'avisa de l'aller trouver et de lui proposer quelque accommodement en faveur duquel elle rendrait au roi sa figure naturelle. Il prit les grenouilles et vola chez la fée, qui causait dans ce moment avec Truitonne. D'un enchanteur à une fée il n'y a que la main; ils se connaissaient depuis cinq ou six cents ans, et dans cet espace de temps ils avaient été mille fois bien et mal ensemble. Elle le reçut très agréablement. «Que me veut mon compère? lui dit-elle (c'est ainsi qu'ils se nomment tous). Y a-t-il quelque chose pour son service qui dépende de moi? — Oui, ma commère, dit le magicien, vous pouvez tout pour ma satisfaction; il s'agit du meilleur de mes amis, d'un roi que vous avez rendu infortuné. — Ha! ha! je vous entends, compère, s'écria Soussio, j'en suis fâchée, mais il n'y a point de grâce à espérer pour lui s'il ne veut épouser ma filleule; la voilà belle et jolie, comme vous voyez: qu'il se consulte. »

L'enchanteur pensa demeurer muet, tant il la trouva laide; cependant il ne pouvait se résoudre à s'en aller sans régler quelque chose avec elle, parce que le roi avait couru mille risques depuis qu'il était en cage. Le clou qui l'accrochait s'était rompu, la cage était tombée, et sa majesté emplumée souffrit beaucoup de cette chute; Minet, qui se trouva dans la chambre lorsque cet accident arriva, lui donna un coup de griffe dans l'œil, dont il pensa rester borgne. Une autre fois on avait oublié de lui donner à boire; il allait le grand chemin d'avoir la pépie, quand on l'en garantit par quelques gouttes d'eau. Un petit coquin de singe, s'étant échappé, attrapa ses plumes au travers des barreaux de la cage, et il l'épargna aussi peu qu'il l'aurait fait d'un geai ou d'un merle. Le pire de tout cela, c'est qu'il était sur le point de perdre son royaume; ses héritiers faisaient tous les jours des fourberies nouvelles pour prouver qu'il était mort. Enfin l'enchanteur conclut avec sa commère Soussio qu'elle mènerait Truitonne dans le palais du roi Charmant; qu'elle y resterait quelques mois, pendant lesquels il prendrait sa résolution de l'épouser, et qu'elle lui rendrait sa figure, quitte à reprendre celle d'oiseau s'il ne voulait pas se marier.

La fée donna des habits tout d'or et d'argent à Truitonne, puis elle la fit monter en trousse derrière elle sur un dragon, et elles se rendirent au royaume de Charmant qui venait d'y arriver avec son fidèle ami l'enchanteur. En trois coups de baguette il se vit le même qu'il avait été, beau, aimable, spirituel et magnifique; mais il achetait bien cher le temps qu'on diminuait de sa pénitence; la seule pensée d'épouser Truitonne le faisait frémir. L'enchanteur lui disait les meilleures raisons qu'il pouvait; elles ne faisaient qu'une médiocre impression sur son esprit, et il était moins occupé de la conduite de son royaume que des moyens de prolonger le terme que Soussio lui avait donné pour épouser Truitonne.

Cependant la reine Florine, déguisée sous un habit de paysanne, avec ses cheveux épars et mêlés qui cachaient son visage, un chapeau de paille sur la tête, un sac de toile sur l'épaule, commença son voyage, tantôt à pied, tantôt à cheval, tantôt par mer, tantôt par terre. Elle faisait toute la diligence possible; mais, ne sachant où elle devait tourner ses pas, elle craignait toujours d'aller d'un côté, pendant que son aimable roi serait de l'autre. Un jour qu'elle s'était arrêtée au bord d'une fontaine, dont l'eau argentée bondissait sur de petits cailloux, elle

eut envie de se laver les pieds; elle s'assit sur le gazon, elle releva ses blonds cheveux avec un ruban, et mit ses pieds dans le ruisseau: elle ressemblait à Diane qui se baigne au retour d'une chasse. Il passa dans cet endroit une petite vieille toute voûtée, appuyée sur un gros bâton; elle s'arrêta, et lui dit: «Que faites-vous là, ma belle fille? vous êtes bien seule! — Ma bonne mère, dit la reine, je ne laisse pas d'être en grande compagnie; car j'ai avec moi les chagrins, les inquiétudes et les déplaisirs.» A ces mots, ses yeux se couvrirent de larmes. «Quoi! si jeune, vous pleurez! dit la bonne femme. Ah! ma fille, ne vous affligez pas. Dites-moi ce que vous avez sincèrement, et j'espère vous soulager.» La reine le voulut bien: elle lui conta ses ennuis, la conduite que la fée Soussio avait tenue dans cette affaire, et enfin comme elle cherchait l'oiseau bleu.

La petite vieille se redresse, s'agence, change tout d'un coup de visage, paraît belle, jeune, habillée superbement, et regardant la reine avec un souris gracieux: «Incomparable Florine, lui dit-elle, le roi que vous cherchez n'est plus oiseau; ma sœur Soussio lui a rendu sa première figure, il est dans son royaume: ne vous affligez point, vous y arriverez et vous viendrez à bout de votre dessein. Voilà quatre œufs; vous les casserez dans vos pressants besoins, et vous y trouverez des secours qui vous seront utiles.» En achevant ces mots, elle disparut.

Florine se sentit fort consolée de ce qu'elle venait d'entendre; elle mit ces œufs dans son sac, et tourna ses pas vers le royaume de Charmant.

Après avoir marché huit jours et huit nuits sans s'arrêter, elle arrive au pied d'une montagne prodigieuse par sa hauteur, toute d'ivoire, et si droite que l'on n'y pouvait mettre les pieds sans tomber. Elle fit mille tentatives inutiles: elle glissait, elle se fatiguait; et désespérée d'un obstacle si insurmontable, elle se coucha au pied de la montagne, résolue de s'y laisser mourir, quand elle se souvint des œufs que la fée lui avait donnés. Elle en prit un: «Voyons, dit-elle, si elle ne s'est point moquée de moi en me promettant les secours dont j'aurais besoin.» Dès qu'elle l'eut cassé, elle y trouva des petits crampons d'or qu'elle mit à ses pieds et à ses mains. Quand elle les eut, elle monta la montagne d'ivoire sans aucune peine, car les crampons entraient dedans et l'empêchaient de glisser. Lorsqu'elle fut tout au haut, elle eut de nouvelles peines pour descendre; toute la vallée était d'une seule glace de miroir. Il y avait autour plus de soixante mille femmes qui s'y miraient avec un plaisir extrême car ce miroir avait bien deux lieues de large et six de haut; chacune s'y voyait selon ce qu'elle voulait être: la rousse y paraissait blonde, la brune avait les cheveux noirs, la vieille croyait être jeune, la jeune n'y vieillissait point; enfin tous les défauts y étaient si bien cachés, que l'on y venait des quatre coins du monde. Il y avait de quoi mourir de rire de voir les grimaces et les minauderies que la plupart de ces coquettes faisaient. Cette circonstance n'y attirait pas moins d'hommes; le miroir leur plaisait aussi. Il faisait paraître aux uns de beaux cheveux, aux autres la taille plus haute et mieux prise, l'air martial et meilleure mine. Les femmes, dont ils se moquaient, ne se moquaient pas moins d'eux; de sorte que l'on appelait cette montagne de mille noms différents. Personne n'était jamais parvenu jusques au sommet, et, quand on y vit Florine, les dames poussèrent de longs cris de désespoir. «Où va cette malavisée? disaient-elles. Sans doute qu'elle a assez d'esprit pour marcher sur notre glace: du premier pas elle brisera tout.» Elles faisaient un bruit épouvantable.

La reine ne savait comment faire, car elle voyait un grand péril à descendre par là; elle cassa un autre œuf, dont il sortit deux pigeons et un chariot, qui devint en même temps assez grand pour s'y placer commodément; puis les pigeons descendirent légèrement avec la reine, sans qu'il lui arrivât rien de fâcheux. Elle leur dit: «Mes petits amis, si vous vouliez me conduire jusques au lieu où le roi Charmant tient sa cour, vous n'obligeriez pas une ingrate.» Les pigeons civils et obéissants ne s'arrêtèrent ni jour ni nuit qu'ils ne fussent arrivés aux portes de la ville. Florine descendit, et leur donna à chacun un doux baiser, plus estimable qu'une couronne.

Oh! que le cœur lui battait en entrant! Elle se barbouilla le visage pour n'être point connue. Elle demanda aux passants où elle pouvait voir le roi. Quelquesuns se prirent à rire. «Voir le roi! lui dirent-ils. Hé, que lui veux-tu, ma Mie-Souillon? Va, va te décrasser, tu n'as pas les yeux assez bons pour voir un tel monarque.» La reine ne répondit rien; elle s'éloigna doucement et demanda encore à ceux qu'elle rencontra où elle se pourrait mettre pour voir le roi. «Il doit venir demain au temple avec la princesse Truitonne, lui dit-on; car enfin il consent à l'épouser.»

Ciel! quelles nouvelles! Truitonne, l'indigne Truitonne, sur le point d'épouser le roi! Florine pensa mourir; elle n'eut plus de force pour parler ni pour marcher: elle se mit sous une porte, assise sur des pierres, bien cachée de ses cheveux et de son chapeau de paille. «Infortunée que je suis! disait-elle, je viens ici pour augmenter le triomphe de ma rivale et me rendre témoin de sa satisfaction! C'était donc à cause d'elle que l'oiseau bleu cessa de me venir voir! C'était pour ce petit monstre qu'il faisait la plus cruelle de toutes les infidélités, pendant qu'abîmée dans la douleur, je m'inquiétais pour la conservation de sa vie! Le traître avait changé; et se souvenant moins de moi que s'il ne m'avait jamais vue, il me laissait le soin de m'affliger de sa trop longue absence sans se soucier de la mienne.»

Quand on a beaucoup de chagrin, il est rare d'avoir bon appétit; la reine chercha où se loger, et se coucha sans souper. Elle se leva avec le jour, elle courut au temple; elle n'y entra qu'après avoir essuyé mille rebuffades des gardes et des soldats. Elle vit le trône du roi et celui de Truitonne, qu'on regardait déjà comme la reine. Quelle douleur pour une personne aussi tendre et aussi délicate que Florine! Elle s'approcha du trône de sa rivale; elle se tint debout, appuyée contre un pilier de marbre. Le roi vint le premier, plus beau et plus aimable qu'il eût été de sa vie. Truitonne parut ensuite richement vêtue, et si laide qu'elle en faisait peur. Elle regarda la reine en fronçant le sourcil. «Qui es-tu, lui dit-elle, pour oser t'approcher de mon excellente figure, et si près de mon trône d'or? — Je me nomme Mie-Souillon, répondit-elle; je viens de loin pour vous vendre des raretés.» Elle fouilla aussitôt dans son sac de toile, elle en tira les bracelets d'émeraudes que le roi Charmant lui avait donnés. «Ho! ho! dit Truitonne, voilà de jolies verrines! En veux-tu une pièce de cinq sous? — Montrez-les, madame, aux connaisseurs, dit la reine, et puis nous ferons notre marché.» Truitonne, qui aimait le roi plus tendrement qu'une telle bête n'en était capable, étant ravie de trouver des occasions de lui parler, s'avança jusqu'à son trône, et lui montra les bracelets, le priant de lui en dire son sentiment. A la vue de ces bracelets, il se souvint de ceux qu'il avait donnés à Florine; il pâlit, il soupira, et fut longtemps sans répondre; enfin, craignant qu'on ne s'aperçût de l'état où ses différentes pensées le réduisaient, il se fit un effort, et lui répliqua: «Ces bracelets valent, je crois, autant que mon royaume; je pensais qu'il n'y en avait qu'une paire au monde, mais en voilà de semblables.»

Truitonne revint dans son trône, où elle avait moins bonne mine qu'une huître à l'écaille; elle demanda à la reine combien, sans surfaire, elle voulait de ces bracelets. «Vous auriez trop de peine à me les payer, madame, dit-elle, il vaut mieux vous proposer un autre marché: si vous me voulez procurer de coucher une nuit dans le cabinet des échos qui est au palais du roi, je vous donnerai mes émeraudes. — Je le veux bien, Mie-Souillon», dit Truitonne, en riant comme une perdue et montrant des dents plus longues que les défenses d'un sanglier.

Le roi ne s'informa point d'où venaient ces bracelets, moins par indifférence pour celle qui les présentait (bien qu'elle ne fût guère propre à faire naître la curiosité) que par un éloignement invincible qu'il sentait pour Truitonne. Or, il est à propos qu'on sache que, pendant qu'il était oiseau bleu, il avait conté à la princesse qu'il y avait sous son appartement un cabinet qu'on appelait le cabinet des échos, qui était si ingénieusement fait que tout ce qui s'y disait fort bas était entendu du roi lorsqu'il était couché dans sa chambre; et, comme Florine voulait lui reprocher son infidélité, elle n'en avait point imaginé de meilleur moyen.

On la mena dans le cabinet par ordre de Truitonne: elle commença, ses plaintes et ses regrets. «Le malheur dont je voulais douter n'est que trop certain, cruel oiseau bleu! dit-elle. Tu m'as oubliée, tu aimes mon indigne rivale! Les bracelets

121

que j'ai reçus de ta déloyale main n'ont pu me rappeler à ton souvenir, tant j'en suis éloignée.» Alors les sanglots interrompirent ses paroles; et quand elle eut assez de force pour parler, elle se plaignit encore et continua jusqu'au jour. Les valets de chambre l'avaient entendue toute la nuit gémir et soupirer: ils le dirent à Truitonne, qui lui demanda quel tintamarre elle avait fait. La reine lui dit qu'elle dormait si bien qu'ordinairement elle rêvait et qu'elle parlait très souvent tout haut. Pour le roi, il ne l'avait point entendue par une fatalité étrange. C'est que, depuis qu'il avait aimé Florine, il ne pouvait plus dormir; et lorsqu'il se mettait au lit, pour lui faire prendre quelque repos, on lui donnait de l'opium.

La reine passa une partie du jour dans une étrange inquiétude. «S'il m'a entendue, disait-elle, se peut-il une indifférence plus cruelle? S'il ne m'a pas entendue, que ferai-je pour parvenir à me faire entendre?» Il ne se trouvait plus de raretés extraordinaires: car des pierreries sont toujours belles, mais il fallait quelque chose qui piquât le goût de Truitonne: elle eut recours à ses œufs. Elle en cassa un; aussitôt il en sortit un petit carrosse d'acier poli, garni d'or de rapport: il était attelé de six souris vertes, conduites par un raton couleur de rose, et le postillon, qui était aussi de famille ratonnienne, était gris de lin. Il y avait dans ce carrosse quatre marionnettes plus fringantes et plus spirituelles que toutes celles qui paraissent aux foires Saint-Germain et Saint-Laurent; elles faisaient des choses surprenantes, particulièrement deux petites Égyptiennes, qui, pour danser la sarabande et les passe-pieds, ne l'auraient pas cédé à Leance.

La reine demeura ravie de ce nouveau chef-d'œuvre de l'art nécromancien; elle ne dit mot jusqu'au soir, qui était l'heure que Truitonne allait à la promenade; elle se mit dans une allée, faisant galoper ces souris, qui traînaient le carrosse, les ratons et les marionnettes. Cette nouveauté étonna si fort Truitonne qu'elle s'écria deux ou trois fois: «Mie-Souillon, Mie-Souillon, veux-tu cinq sous du carrosse et de ton attelage souriquois? — Demandez aux gens de lettres et aux docteurs de ce royaume, dit Florine, ce qu'une telle merveille peut valoir, et je m'en rapporterai à l'estimation du plus savant.» Truitonne, qui était absolue en tout, lui répliqua: «Sans m'importuner plus longtemps de ta crasseuse présence, dis-m'en le prix. — Dormir encore dans le cabinet des échos, dit-elle, est tout ce que je demande. — Va, pauvre bête, répliqua Truitonne, tu n'en seras pas refusée»; et, se tournant vers ses dames: « Voilà une sotte créature, dit-elle, de retirer si peu d'avantage de ses raretés. »

La nuit vint, Florine dit tout ce qu'elle put imaginer de plus tendre, et elle le dit aussi inutilement qu'elle avait déjà fait, parce que le roi ne manquait jamais de prendre son opium. Les valets de chambre disaient entre eux: «Sans doute cette paysanne est folle; qu'est-ce qu'elle raisonne toute la nuit? — Avec cela, disaient les autres, il ne laisse pas d'y avoir de l'esprit et de la passion dans ce qu'elle conte. » Elle attendait impatiemment le jour pour voir quel effet ses discours auraient produit. « Quoi! ce barbare est devenu sourd à ma voix? disait-elle. Il n'entend plus sa chère Florine! Ah! quelle faiblesse de l'aimer encore! Que je mérite bien les marques de mépris qu'il me donne!» Mais elle y pensait inutilement, elle ne pouvait se guérir de sa tendresse. Il n'y avait plus qu'un œuf dans son sac dont elle dût espérer du secours; elle le cassa, il en sortit un pâté de six oiseaux qui étaient bardés, cuits, et fort bien apprêtés; avec cela ils chantaient merveilleusement bien, disaient la bonne aventure, et savaient mieux la médecine qu'Esculape. La reine resta charmée d'une chose si admirable; elle fut avec son pâté parlant dans l'antichambre de Truitonne.

Comme elle attendait qu'elle passât, un des valets de chambre du roi s'approcha d'elle et lui dit: «Ma Mie-Souillon, savez-vous bien que si le roi ne prenait pas de l'opium pour dormir, vous l'étourdiriez assurément? car vous jasez la nuit d'une manière surprenante. » Florine ne s'étonna plus de ce qu'il ne l'avait pas entendue; elle fouilla dans son sac, et lui dit: «Je crains si peu d'interrompre le repos du roi que, si vous voulez ne lui point donner d'opium ce soir, en cas que je couche dans ce même cabinet, toutes ces perles et tous ces diamants seront pour vous.» Le valet de chambre y consentit, et lui en donna sa parole.

A quelque moment de là Truitonne vint; elle aperçut la reine avec son pâté, qui feignait de le vouloir manger. « Que fais-tu là, ma Mie-Souillon? lui dit-elle. — Madame, répliqua Florine, je mange des astrologues, des musiciens, et des médecins.» En même temps tous les oiseaux se mettent à chanter plus mélodieusement que des sirènes; puis ils s'écrièrent: «Donnez la pièce blanche, et nous vous dirons votre bonne aventure.» Un canard qui dominait, dit plus haut que les autres: «Can, can, can, je suis médecin, je guéris de tous maux et de toute sorte de folie, hormis de celle d'amour.» Truitonne, plus surprise de tant de merveilles qu'elle l'eût été de ses jours, jura: «Par la vertuchou, voilà un excellent pâté! je le veux avoir; çà, çà, Mie-Souillon, que t'en donnerais-je? — Le prix ordinaire, dit elle: coucher dans le cabinet des échos, et rien davantage. — Tiens, dit généreusement Truitonne (car elle était de belle humeur par l'acquisition d'un tel pâté), tu en auras une pistole.» Florine, plus contente qu'elle l'eût encore été, parce qu'elle espérait que le roi l'entendrait, se retira en la remerciant.

Dès que la nuit parut, elle se fit conduire dans le cabinet, souhaitant avec ardeur que le valet de chambre lui tînt parole, et qu'au lieu de donner de l'opium au roi, il lui présentât quelque autre chose qui pût le tenir éveillé. Lorsqu'elle crut que chacun s'était endormi, elle commença ses plaintes ordinaires. «A combien de périls me suis-je exposée, disait-elle, pour te chercher, pendant que tu me fuis, et que tu veux épouser Truitonne! Que t'ai-je donc fait, cruel, pour oublier tes serments? Souviens-toi de ta métamorphose, de mes bontés, de nos tendres conversations. » Elle les répéta presque toutes, avec une mémoire qui prouvait assez que rien ne lui était plus cher que ce souvenir.

Le roi ne dormait point, et il entendait si distinctement la voix de Florine et toutes ses paroles qu'il ne pouvait comprendre d'où elles venaient; mais son cœur, pénétré de tendresse, lui rappela si vivement l'idée de son incomparable princesse qu'il sentit sa séparation avec la même douleur qu'au moment où les couteaux l'avaient blessé sur le cyprès; il se mit à parler de son côté comme la reine avait fait du sien. « Ah! princesse, dit-il, trop cruelle pour un amant qui vous adorait! est-il possible que vous m'ayez sacrifié à nos communs ennemis? » Florine entendit ce qu'il disait, et ne manqua pas de lui répondre, et de lui apprendre que, s'il voulait entretenir la Mie-Souillon, il serait éclairci de tous les mystères qu'il n'avait pu pénétrer jusqu'alors. A ces mots, le roi impatient appela un de ses valets de chambre, et lui demanda s'il ne pouvait point trouver Mie-Souillon et l'amener. Le valet de chambre répliqua que rien n'était plus aisé, parce qu'elle couchait dans le cabinet des échos.

Le roi ne savait qu'imaginer. Quel moyen de croire qu'une si grande reine que Florine fût déguisée en souillon? Et quel moyen de croire que Mie-Souillon eût la voix de la reine, et sût des secrets si particuliers, à moins que ce ne fût elle-même? Dans cette incertitude il se leva, et, s'habillant avec précipitation, il descendit par un dégré dérobé dans le cabinet des échos, dont la reine avait ôté la clef; mais le roi en avait une qui ouvrait toutes les portes du palais.

Il la trouva avec une légère robe de taffetas blanc qu'elle portait sous ses vilains habits, ses beaux cheveux couvraient ses épaules; elle était couchée sur un lit de repos, et une lampe un peu éloignée ne rendait qu'une lumière sombre. Le roi entra tout d'un coup, et son amour l'emportant sur son ressentiment, dès qu'il la reconnut il vint se jeter à ses pieds, il mouilla ses mains de ses larmes, et pensa mourir de joie, de douleur, et de mille pensées différentes qui lui passèrent en même temps dans l'esprit.

La reine ne demeura pas moins troublée; son cœur se serra; elle pouvait à peine soupirer: elle regardait fixement le roi sans lui rien dire; et quand elle eût eu la force de lui parler, elle n'eût pas eu celle de lui faire des reproches; le plaisir de le revoir lui fit oublier pour quelque temps les sujets de plaintes qu'elle croyait avoir. Enfin ils s'éclaircirent, ils se justifièrent, leur tendresse se réveilla; et tout ce qui les embarrassait, c'était la fée Soussio.

Mais dans ce moment l'enchanteur qui aimait le roi arriva avec une fée fameuse: c'était justement celle qui donna les quatre œufs à Florine. Après les premiers compliments, l'enchanteur et la fée déclarèrent que, leur pouvoir étant uni en faveur du roi et de la reine, Soussio ne pouvait rien contre eux, et qu'ainsi leur mariage ne recevrait aucun retardement.

124

Il est aisé de se figurer la joie de ces deux jeunes amants: dès qu'il fut jour on la publia dans tout le palais, et chacun était ravi de voir Florine. Ces nouvelles allèrent jusqu'à Truitonne; elle accourut chez le roi: quelle surprise d'y trouver sa belle rivale! Dès qu'elle voulut ouvrir la bouche pour lui dire des injures, l'enchanteur et la fée parurent, qui la métamorphosèrent en truie, afin qu'il lui restât au moins une partie de son nom et de son naturel grondeur. Elle s'enfuit toujours grognant jusque dans la basse-cour, où de longs éclats de rire que l'on fit sur elle achevèrent de la désespérer.

Le roi Charmant et la reine Florine, délivrés d'une personne si odieuse, ne pensèrent plus qu'à la fête de leurs noces; la galanterie et la magnificence y parurent également: il est aisé de juger de leur félicité après de si longs malheurs.

*Quand Truitonne aspirait à l'hymen de Charmant,*
*      Et que, sans avoir su lui plaire,*
*Elle voulait former ce triste engagement*
*Que la mort seule peut défaire,*
*      Qu'elle était imprudente! Hélas!*
*Sans doute elle ignorait qu'un pareil mariage*
*      Devient un funeste esclavage,*
*      Si l'amour ne le forme pas.*
*      Je trouve que Charmant fut sage.*
*      A mon sens, il vaut beaucoup mieux*
*Etre oiseau bleu, corbeau, devenir hibou même,*
*      Que d'éprouver la peine extrême*
*D'avoir ce que l'on hait toujours devant les yeux.*
*En ces sortes d'hymens notre siècle est fertile:*
*      Les hymens seraient plus heureux*
*Si l'on trouvait encor quelque enchanteur habile*
*Qui voulût s'opposer à ces coupables nœuds,*
*Et ne jamais souffrir que l'hyménée unisse,*
*      Par intérêt ou par caprice,*
*Deux cœurs infortunés, s'ils ne s'aiment tous deux.*

# LA BELLE AUX CHEVEUX D'OR

Il y avait une fois la fille d'un roi qui était si belle qu'il n'y avait rien de si beau dans le monde; et à cause qu'elle était si belle on la nommait la Belle aux cheveux d'or: car ses cheveux étaient plus fins que de l'or, et blonds par merveille, tout frisés, qui lui tombaient jusque sur les pieds. Elle allait toujours couverte de ses cheveux bouclés, avec une couronne de fleurs sur la tête, et des habits brodés de diamants et de perles: tant y a qu'on ne pouvait la voir sans l'aimer.

Il y avait un jeune roi de ses voisins qui n'était point marié, et qui était bien fait et bien riche. Quand il eut appris tout ce qu'on disait de la Belle aux cheveux d'or, bien qu'il ne l'eût point encore vue, il se prit à l'aimer si fort qu'il en perdait le boire et le manger, et il se résolut de lui envoyer un ambassadeur pour la demander en mariage. Il fit faire un carrosse magnifique à son ambassadeur; il lui donna plus de cent chevaux et de cent laquais, et lui recommanda bien de lui amener la princesse.

Quand il eut pris congé du roi et qu'il fut parti, toute la cour ne parlait d'autre chose; et le roi, qui ne doutait pas que la Belle aux cheveux d'or ne consentît à ce qu'il souhaitait, lui faisait déjà faire de belles robes et des meubles admirables. Pendant que les ouvriers étaient occupés à travailler, l'ambassadeur, arrivé chez la Belle aux cheveux d'or, lui fit son petit message; mais soit qu'elle ne fût pas ce jour-là de bonne humeur, ou que le compliment ne lui semblât pas à son gré, elle répondit à l'ambassadeur qu'elle remerciait le roi, et qu'elle n'avait point envie de se marier.

L'ambassadeur partit de la cour de cette princesse, bien triste de ne la pas amener avec lui; il rapporta tous les présents qu'il lui avait portés de la part du roi, car elle était fort sage et savait bien qu'il ne faut pas que les filles reçoivent rien des garçons: aussi elle ne voulut jamais accepter les beaux diamants et le reste; et pour ne pas mécontenter le roi, elle prit seulement un quarteron d'épingles d'Angleterre.

Quand l'ambassadeur arriva à la grande ville du roi, où il était attendu si impatiemment, chacun s'affligea de ce qu'il n'amenait point la Belle aux cheveux d'or, et le roi se prit à pleurer comme un enfant; on le consolait sans en pouvoir venir à bout.

Il y avait un jeune garçon à la cour qui était beau comme le soleil et le mieux fait de tout le royaume: à cause de sa bonne grâce et de son esprit, on le nommait Avenant. Tout le monde l'aimait, hors les envieux, qui étaient fâchés que le roi lui fît du bien et qu'il lui confiât tous les jours ses affaires.

Avenant se trouva avec des personnes qui parlaient du retour de l'ambassadeur, et qui disaient qu'il n'avait rien fait qui vaille; il leur dit, sans y prendre trop garde: «Si le roi m'avait envoyé vers la Belle aux cheveux d'or, je suis certain qu'elle serait venue avec moi.» Tout aussitôt ces méchantes gens vont dire au roi: «Sire, vous ne savez pas ce que dit Avenant? Que si vous l'aviez envoyé chez la Belle aux cheveux d'or, il l'aurait ramenée. Considérez bien sa malice: il prétend être plus beau que vous, et qu'elle l'aurait tant aimé qu'elle l'aurait suivi partout.» Voilà le roi qui se met en colère, en colère tant et tant, qu'il était hors de lui. «Ha, ha, dit-il, ce joli mignon se moque de mon malheur, et il se prise plus que moi; allons, qu'on le mette dans ma grosse tour, et qu'il y meure de faim.»

Les gardes du roi furent chez Avenant, qui ne pensait plus à ce qu'il avait dit; ils le traînèrent en prison et lui firent mille maux. Ce pauvre garçon n'avait qu'un peu de paille pour se coucher, et il serait mort, sans une petite fontaine qui coulait dans le pied de la tour, dont il buvait un peu pour se rafraîchir, car la faim lui avait bien séché la bouche.

Un jour qu'il n'en pouvait plus, il disait en soupirant: «De quoi se plaint le roi? Il n'a point de sujet qui lui soit plus fidèle que moi; je ne l'ai jamais offensé.» Le roi par hasard passait proche de la tour, et quand il entendit la voix de celui qu'il avait tant aimé, il s'arrêta pour l'écouter, malgré ceux qui étaient avec lui, qui haïssaient Avenant, et qui disaient au roi: «A quoi vous amusez-vous, sire? ne savez-vous pas que c'est un fripon?» Le roi répondit: «Laissez-moi là, je veux l'écouter.» Ayant ouï ses plaintes, les larmes lui en vinrent aux yeux; il ouvrit la porte de la tour, et l'appela. Avenant vint tout triste se mettre à genoux devant lui, et baisa ses pieds. «Que vous ai-je fait, sire, lui dit-il, pour me traiter si rudement? — Tu t'es moqué de moi et de mon ambassadeur, dit le roi. Tu as dit que si je t'avais envoyé chez la Belle aux cheveux d'or, tu l'aurais bien amenée. — Il est vrai, sire, répondit Avenant, que je lui aurais si bien fait connaître vos grandes qualités que je suis persuadé qu'elle n'aurait pu s'en défendre; et en cela je n'ai rien dit qui ne vous dût être agréable.» Le roi trouva qu'effectivement il n'avait point de tort; il regarda de travers ceux qui lui avaient dit du mal de son favori, et il l'emmena avec lui, se repentant bien de la peine qu'il lui avait faite.

Après l'avoir fait souper à merveille, il l'appela dans son cabinet, et lui dit: «Avenant, j'aime toujours la Belle aux cheveux d'or, ses refus ne m'ont point rebuté; mais je ne sais comment m'y prendre pour qu'elle veuille m'épouser: j'ai envie de t'y envoyer pour voir si tu pourras réussir.» Avenant répliqua qu'il était disposé de lui obéir en toutes choses, qu'il partirait dès le lendemain. «Ho! dit le roi, je veux te donner un grand équipage. — Cela n'est point nécessaire, répondit-il, il ne me faut qu'un bon cheval avec des lettres de votre part.» Le roi l'embrassa, car il était ravi de le voir sitôt prêt.

Ce fut un lundi matin qu'il prit congé du roi et de ses amis pour aller‘à son ambassade tout seul, sans pompe et sans bruit. Il ne faisait que rêver aux moyens d'engager la Belle aux cheveux d'or d'épouser le roi; il avait une écritoire dans sa poche; et quand il lui venait quelque belle pensée à mettre dans sa harangue, il descendait de cheval, et s'asseyait sous des arbres pour écrire, afin de ne rien oublier. Un matin qu'il était parti à la petite pointe du jour, en passant dans une grande prairie, il lui vint une pensée fort jolie; il mit pied à terre, et se plaça contre des saules et des peupliers qui étaient plantés le long d'une petite rivière qui coulait au bord du pré. Après qu'il eut écrit, il regarda de tous côtés, charmé de se trouver en un si bel endroit. Il aperçut sur l'herbe une grosse carpe dorée, qui bâillait, et qui n'en pouvait plus: car, ayant voulu attraper de petits moucherons, elle avait sauté si haut hors de l'eau qu'elle s'était élancée sur l'herbe, où elle était prête à mourir. Avenant en eut pitié, et, quoiqu'il fût jour maigre, et qu'il eût pu l'emporter pour son dîner, il fut la prendre et la remit doucement dans la rivière. Dès que ma commère la carpe sentit la fraîcheur de l'eau, elle commence à se réjouir, et se laisse couler jusqu'au fond; puis, revenant toute gaillarde au bord de la rivière: «Avenant, dit-elle, je vous remercie du plaisir que vous venez de me faire; sans vous je serais morte, et vous m'avez sauvée: je vous le revaudrai.» Après ce petit compliment, elle s'enfonça dans l'eau, et Avenant demeura bien surpris de l'esprit et de la grande civilité de la carpe.

Un autre jour qu'il continuait son voyage, il vit un corbeau bien embarrassé: ce pauvre oiseau était poursuivi par un gros aigle grand mangeur de corbeaux; il était près de l'attraper, et il l'aurait avalé comme une lentille, si Avenant n'eût eu compassion du malheur de cet oiseau. «Voilà, dit-il, comme les plus forts oppriment les plus faibles; quelle raison a l'aigle de manger le corbeau?» Il prend son arc, qu'il portait toujours, et une flèche; puis, mirant bien l'aigle, croc, il lui décoche la flèche dans le corps, et le perce de part en part; il tombe mort, et le corbeau ravi vint se percher sur un arbre. «Avenant, lui dit-il, vous êtes bien généreux de m'avoir secouru, moi qui ne suis qu'un misérable corbeau; mais je n'en demeurerai point ingrat, je vous le revaudrai.»

Avenant admira le bon esprit du corbeau, et continua son chemin. En entrant dans un grand bois, si matin qu'il ne voyait qu'à peine à se conduire, il entendit un hibou qui criait en hibou désespéré. «Ouais, dit-il, voilà un hibou bien affligé, il pourrait s'être laissé prendre dans quelques filets.» Il chercha de tous côtés, et enfin il trouva de grands filets que des oiseleurs avaient tendus la nuit pour attraper les oisillons. «Quelle pitié! dit-il, les hommes ne sont faits que pour s'entretourmenter, ou pour persécuter de pauvres animaux, qui ne leur font ni tort ni dommage.» Il tira son couteau, et coupa les cordelettes. Le hibou prit l'essor, mais revenant à tire-d'aile: «Avenant, dit-il, il n'est pas nécessaire que je vous fasse une longue harangue pour vous faire comprendre l'obligation que je vous ai; elle parle assez d'elle-même: les chasseurs allaient venir, j'étais pris, j'étais mort sans votre secours; j'ai le cœur reconnaissant, je vous le revaudrai.»

Voilà les trois plus considérables aventures qui arrivèrent à Avenant dans son voyage. Il était si pressé d'arriver qu'il ne tarda pas à se rendre au palais de la Belle aux cheveux d'or. Tout y était admirable; l'on y voyait les diamants entassés comme des pierres, les beaux habits, le bonbon, l'argent: c'étaient des choses merveilleuses; et il pensait en lui-même que si elle quittait tout cela pour venir chez le roi son maître, il faudrait qu'il jouât bien de bonheur. Il prit un habit de brocart, des plumes incarnates et blanches; il se peigna, se poudra, se lava le visage; il mit une riche écharpe toute brodée à son cou, avec un petit panier, et dedans un beau petit chien, qu'il avait acheté en passant à Boulogne. Avenant était si bien fait, si aimable, il faisait toutes choses avec tant de grâce, que lorsqu'il se présenta à la porte du palais, tous les gardes lui firent une grande révérence, et l'on courut dire à la Belle aux cheveux d'or qu'Avenant, ambassadeur du roi son plus proche voisin, demandait à la voir.

Sur ce nom d'Avenant, la princesse dit: «Cela me porte bonne signification; je gagerais qu'il est joli, et qu'il plaît à tout le monde. — Vraiment oui, madame, lui dirent toutes ses filles d'honneur, nous l'avons vu du grenier où nous accommodions votre filasse, et, tant qu'il a demeuré sous les fenêtres, nous n'avons pu rien faire. — Voilà qui est beau, répliqua la Belle aux cheveux d'or, de vous amuser à regarder les garçons. Çà, que l'on me donne ma grande robe de satin bleu brodée, et que l'on éparpille bien mes blonds cheveux; que l'on me fasse des guirlandes de fleurs nouvelles, que l'on me donne mes souliers hauts et mon éventail; que l'on balaye ma chambre et mon trône: car je veux qu'il dise partout que je suis vraiment la Belle aux cheveux d'or.»

Voilà toutes les femmes qui s'empressaient de la parer comme une reine; elles étaient si hâtées qu'elles s'entre-cognaient et n'avançaient guère. Enfin la princesse passa dans sa galerie aux grands miroirs pour voir si rien ne lui manquait; et puis elle monta sur son trône d'or, d'ivoire et d'ébène, qui sentait comme baume; et elle commanda à ses filles de prendre des instruments et de chanter tout doucement pour n'étourdir personne.

L'on conduisit Avenant dans la salle d'audience; il demeura si transporté d'admiration qu'il a dit depuis bien des fois qu'il ne pouvait presque parler; néanmoins il prit courage, et fit sa harangue à merveille: il pria la princesse qu'il n'eût pas le déplaisir de s'en retourner sans elle. «Gentil Avenant, lui dit-elle, toutes les raisons que vous venez de me conter sont fort bonnes, et je vous assure que je serais bien aise de vous favoriser plus qu'un autre; mais il faut que vous sachiez qu'il y a un mois que je fus me promener sur la rivière avec toutes mes dames, et, comme l'on me servit la collation, en ôtant mon gant je tirai de mon doigt une bague qui tomba par malheur dans la rivière: je la chérissais plus que mon royaume; je vous laisse à juger de quelle affliction cette perte fut suivie. J'ai fait serment de n'écouter jamais aucune proposition de mariage que l'ambassadeur qui me proposera un époux ne me rapporte ma bague. Voyez à présent ce que vous avez à faire là-dessus: car, quand vous me parleriez quinze jours et quinze nuits, vous ne me persuaderiez pas de changer de sentiment.»

Avenant demeura bien étonné de cette réponse; il lui fit une profonde révérence, et la pria de recevoir le petit chien, le panier et l'écharpe; mais elle lui répliqua qu'elle ne voulait point de présents, et qu'il songeât à ce qu'elle venait de lui dire.

Quand il fut retourné chez lui, il se coucha sans souper, et son petit chien, qui s'appelait Cabriolle, ne voulut pas souper non plus: il vint se mettre auprès de lui. Tant que la nuit fut longue, Avenant ne cessa point de soupirer. «Où puis-je prendre une bague tombée depuis un mois dans une grande rivière? disait-il. C'est toute folie de l'entreprendre! La princesse ne m'a dit cela que pour me mettre dans l'impossibilité de lui obéir.» Il soupirait et s'affligeait très fort. Cabriolle, qui l'écoutait, lui dit: «Mon cher maître, je vous prie, ne désespérez point de votre bonne fortune; vous êtes trop aimable pour n'être pas heureux: allons dès qu'il fera jour au bord de la rivière.» Avenant lui donna deux petits coups de la main, et ne répondit rien; mais, tout accablé de tristesse, il s'endormit.

Cabriolle, voyant le jour, cabriola tant qu'il l'éveilla, et lui dit: «Mon maître, habillez-vous, et sortons.» Avenant le voulut bien; il se lève, s'habille et descend dans le jardin, et du jardin il va insensiblement au bord de la rivière, où il se promenait son chapeau sur les yeux et les bras croisés l'un sur l'autre ne pensant qu'à son départ, quand tout à coup il entendit qu'on l'appelait: «Avenant, Avenant!» Il regarde de tous côtés et ne voit personne; il crut rêver. Il continue sa promenade; on le rappelle: «Avenant, Avenant! — Qui m'appelle?» dit-il. Cabriolle, qui était fort petit, et qui regardait de près dans l'eau, lui répliqua: «Ne me croyez jamais si ce n'est une carpe dorée que j'aperçois.» Aussitôt la grosse carpe paraît, et lui dit: «Vous m'avez sauvé la vie dans le pré des alisiers, où je serais restée sans vous; je vous promis de vous le revaloir: tenez, cher Avenant, voici la bague de la Belle aux cheveux d'or.» Il se baissa, et la prit dans la gueule de ma commère la carpe, qu'il remercia mille fois.

Au lieu de retourner chez lui, il fut droit au palais avec le petit Cabriolle, qui était bien aise d'avoir fait venir son maître au bord de l'eau. L'on alla dire à la princesse qu'il demandait à la voir. «Hélas! dit-elle, le pauvre garçon, il vient prendre congé de moi; il a considéré que ce que je veux est impossible, et il va le dire à son maître.» L'on fit entrer Avenant, qui lui présenta sa bague et lui dit: «Madame la princesse, voilà votre commandement fait; vous plaît-il recevoir

le roi mon maître pour époux?» Quand elle vit sa bague où il ne manquait rien, elle resta si étonnée, si étonnée, qu'elle croyait rêver. «Vraiment, dit-elle, gracieux Avenant, il faut que vous soyez favorisé de quelque fée, car naturellement cela n'est pas possible. — Madame, dit-il, je n'en connais aucune, mais j'avais bien envie de vous obéir. — Puisque vous avez si bonne volonté, continua-t-elle, il faut que vous me rendiez un autre service, sans lequel je ne me marierai jamais. Il y a un prince, qui n'est pas éloigné d'ici, appelé Galifron, lequel s'était mis dans l'esprit de m'épouser. Il me fit déclarer son dessein avec des menaces épouvantables, que si je le refusais, il désolerait mon royaume; mais jugez si je pouvais l'accepter: c'est un géant qui est plus haut qu'une haute tour; il mange un homme comme un singe mange un marron. Quand il va à la campagne, il porte dans ses poches de petits canons, dont il se sert au lieu de pistolets; et, lorsqu'il parle bien haut, ceux qui sont près de lui deviennent sourds. Je lui mandai que je ne voulais point me marier, et qu'il m'excusât; cependant il n'a point laissé de me persécuter; il tue tous mes sujets, et avant toutes choses il faut vous battre contre lui et m'apporter sa tête.»

Avenant demeura un peu étourdi de cette proposition; il rêva quelque temps, et puis il dit «Eh bien, madame, je combattrai Galifron; je crois que je serai vaincu, mais je mourrai en brave homme.» La princesse resta bien étonnée: elle lui dit mille choses pour l'empêcher de faire cette entreprise. Cela ne servit de rien; il se retira pour aller chercher des armes et tout ce qu'il lui fallait. Quand il eut ce qu'il voulait, il remit le petit Cabriolle dans son panier, il monta sur son beau cheval, et fut dans le pays de Galifron. Il demandait de ses nouvelles à ceux qu'il rencontrait, et chacun lui disait que c'était un vrai démon, dont on n'osait approcher: plus il entendait dire cela, plus il avait peur. Cabriolle le rassurait, et lui disait: «Mon cher maître, pendant que vous vous battrez, j'irai lui mordre les jambes; il baissera la tête pour me chasser, et vous le tuerez.» Avenant admirait l'esprit du petit chien, mais il savait assez que son secours ne suffisait pas.

Enfin il arriva proche du château de Galifron; tous les chemins étaient couvert d'os et de carcasses d'hommes qu'il avait mangés ou mis en pièces. Il ne l'attendit pas longtemps qu'il le vit venir à travers un bois; sa tête passait les plus grands arbres, et il chantait d'une voix épouvantable.

*Où sont les petits enfants,*
*Que je les croque à belles dents?*
*Il m'en faut tant, tant et tant*
*Que le monde n'est suffisant.*

Aussitôt Avenant se mit à chanter sur le même air:

*Approche, voici Avenant,*
*Qui t'arrachera les dents;*
*Bien qu'il ne soit pas des plus grands,*
*Pour te battre il est suffisant.*

Les rimes n'étaient pas régulières, mais il fit la chanson fort vite, et c'est même un miracle comme il ne la fit pas plus mal, car il avait horriblement peur. Quand Galifron entendit ces paroles, il regarda de tous côtés, et il aperçut Avenant l'épée à la main, qui lui dit deux ou trois injures pour l'irriter. Il n'en fallut pas tant, il se mit dans une colère effroyable; et prenant une massue toute de fer, il aurait assommé du premier coup le gentil Avenant, sans un corbeau qui vint se mettre sur le haut de sa tête, et qui avec son bec lui donna si juste dans les yeux qu'il les creva; le sang coulait sur son visage, il était comme un désespéré, frappant de tous côtés. Avenant l'évitait, et lui portait de grands coups d'épée qu'il enfonçait jusqu'à la garde, et qui lui faisaient mille blessures, par où il perdit tant de sang, qu'il tomba. Aussitôt Avenant lui coupa la tête, bien ravi d'avoir été si heureux; et le corbeau qui s'était perché sur un arbre, lui dit: «Je n'ai pas oublié le service que vous me rendîtes en tuant l'aigle qui me poursuivait; je vous promis de m'en acquitter, je crois l'avoir fait aujourd'hui. — C'est moi qui vous dois tout, monsieur du corbeau, répliqua Avenant, je demeure votre serviteur.» Il monta aussitôt à cheval, chargé de l'épouvantable tête de Galifron.

Quand il arriva dans la ville, tout le monde le suivait, et criait: «Voici le brave Avenant, qui vient de tuer le monstre», de sorte que la princesse, qui entendit bien du bruit et qui tremblait qu'on ne lui vînt apprendre la mort d'Avenant, n'osait demander ce qui lui était arrivé; mais elle vit entrer Avenant avec la tête du géant, qui ne laissa pas de lui faire encore peur, bien qu'il n'y eût plus rien à craindre. «Madame, lui dit-il, votre ennemi est mort, j'espère que vous ne refuserez plus le roi mon maître. — Ah! si fait, dit la Belle aux cheveux d'or, je le refuserai si vous ne trouvez moyen, avant mon départ, de m'apporter de l'eau de la grotte ténébreuse.

«Il y a proche d'ici une grotte profonde qui a bien six lieues de tour; on trouve à l'entrée deux dragons qui empêchent qu'on n'y entre: ils ont du feu dans la gueule et dans les yeux; puis, lorsqu'on est dans la grotte, on trouve un grand trou dans lequel il faut descendre: il est plein de crapauds, de couleuvres et de serpents. Au fond de ce trou il y a une petite cave où coule la fontaine de beauté et de santé: c'est de cette eau que je veux absolument. Tout ce qu'on en lave devient merveilleux; si l'on est belle, on demeure toujours belle; si on est laide, on devient belle; si l'on est jeune, on reste jeune; si l'on est vieille, on devient jeune. Vous jugez bien, Avenant, que je ne quitterai pas mon royaume sans en emporter.

— Madame, lui dit-il, vous êtes si belle que cette eau vous est bien inutile; mais je suis un malheureux ambassadeur dont vous voulez la mort: je vais aller vous chercher ce que vous désirez, avec la certitude de n'en pouvoir revenir.»

La Belle aux cheveux d'or ne changea point de dessein, et Avenant partit avec le petit chien Cabriolle, pour aller à la grotte ténébreuse chercher de l'eau de beauté. Tous ceux qu'il rencontrait sur le chemin disaient: «C'est une pitié de voir un garçon si aimable s'aller perdre de gaieté de cœur; il va seul à la grotte, et, quand il irait lui centième, il n'en pourrait venir à bout. Pourquoi la princesse ne veut-elle que des choses impossibles?» Il continuait de marcher, et ne disait pas un mot; mais il était bien triste.

Il arriva vers le haut d'une montagne, où il s'assit pour se reposer un peu, et il laissa paître son cheval et courir Cabriolle après des mouches; il savait que la grotte ténébreuse n'était pas loin de là, il regardait s'il ne la verrait point; enfin il aperçut un vilain rocher noir comme de l'encre, d'où sortait une grosse fumée, et au bout d'un moment un des dragons qui jetait du feu par les yeux et par la gueule: il avait le corps jaune et vert, des griffes, et une longue queue qui faisait plus de cent tours. Cabriolle vit tout cela: il ne savait où se cacher, tant il avait de peur.

Avenant, tout résolu de mourir, tira son épée, et descendit avec une fiole que la Belle aux cheveux d'or lui avait donnée pour la remplir de l'eau de beauté. Il dit à son petit chien Cabriolle: «C'est fait de moi! je ne pourrai jamais avoir de cette eau qui est gardée par les dragons; quand je serai mort, remplis la fiole de mon sang, et la porte à la princesse, pour qu'elle voie ce qu'elle me coûte; et puis va trouver le roi mon maître, et lui conte mon malheur.» Comme il parlait ainsi, il entendit qu'on l'appelait: «Avenant, Avenant!» Il dit: «Qui m'appelle?» et il vit un hibou dans le trou d'un vieux arbre, qui lui dit: «Vous m'avez retiré du filet des chasseurs où j'étais pris, et vous me sauvâtes la vie; je vous promis que je vous le revaudrais, en voici le temps. Donnez-moi votre fiole; je sais tous les chemins de la grotte ténébreuse, je vais vous quérir de l'eau de beauté.» Dame! qui fut bien aise? je vous le laisse à penser. Avenant lui donna vite sa fiole, et le hibou entra sans nul empêchement dans la grotte. En moins d'un quart d'heure, il revint rapporter la bouteille bien bouchée. Avenant fut ravi, il le remercia de tout son cœur, et remontant la montagne, il prit le chemin de la ville bien joyeux.

Il alla droit au palais, il présenta la fiole à la Belle aux cheveux d'or, qui n'eut plus rien à dire: elle remercia Avenant, et donna ordre à tout ce qu'il lui fallait pour partir; puis elle se mit en voyage avec lui. Elle le trouvait bien aimable, et elle lui disait quelquefois: «Si vous aviez voulu, je vous aurais fait roi; nous ne serions point partis de mon royaume.» Mais il répondait: «Je ne voudrais pas faire un si grand déplaisir à mon maître pour tous les royaumes de la terre, quoique je vous trouve plus belle que le soleil.»

Enfin, ils arrivèrent à la grande ville du roi, qui sachant que la Belle aux cheveux d'or venait, alla au-devant d'elle et lui fit les plus beaux présents du monde. Il l'épousa avec tant de réjouissances que l'on ne parlait d'autre chose; mais la Belle aux cheveux d'or qui aimait Avenant dans le fond de son cœur, n'était bien aise que quand elle le voyait, et elle le louait toujours. «Je ne serais point venue sans Avenant, disait-elle au roi: il a fallu qu'il ait fait des choses impossibles pour mon service: vous lui devez être obligé; il m'a donné de l'eau de beauté, je ne vieillirai jamais, je serai toujours belle.»

Les envieux qui écoutaient la reine, dirent au roi: «Vous n'êtes point jaloux, et vous avez sujet de l'être: la reine aime si fort Avenant qu'elle en perd le boire et le manger; elle ne fait que parler de lui et des obligations que vous lui avez, comme si tel autre que vous auriez envoyé n'en eût pas fait autant.» Le roi dit: «Vraiment, je m'en avise; qu'on aille le mettre dans la tour avec les fers aux pieds et aux mains.» L'on prit Avenant, et pour sa récompense d'avoir si bien servi le roi, on l'enferma dans la tour avec les fers aux pieds et aux mains. Il ne voyait personne que le geôlier qui lui jetait un morceau de pain noir par un trou, et de l'eau dans une écuelle de terre; pourtant son petit chien Cabriolle ne le quittait point, il le consolait, et venait lui dire toutes les nouvelles.

Quand la Belle aux cheveux d'or sut sa disgrâce, elle se jeta aux pieds du roi, et, tout en pleurs, elle le pria de faire sortir Avenant de prison. Mais plus elle le priait, plus il se fâchait, songeant: «C'est qu'elle l'aime», et il n'en voulut rien faire. Elle n'en parla plus: elle était bien triste.

Le roi s'avisa qu'elle ne le trouvait peut-être pas assez beau; il eut envie de se frotter le visage avec de l'eau de beauté, afin que la reine l'aimât plus qu'elle ne faisait. Cette eau était dans la fiole sur le bord de la cheminée de la chambre de la reine: elle l'avait mise là pour la regarder plus souvent, mais une de ses femmes de chambre, voulant tuer une araignée avec un balai, jeta par malheur la fiole par terre, qui se cassa, et toute l'eau fut perdue. Elle balaya vitement, et ne sachant que faire, elle se souvint qu'elle avait vu dans le cabinet du roi une fiole toute semblable, pleine d'eau claire comme était l'eau de beauté; elle la prit adroitement sans rien dire, et la porta sur la cheminée de la reine.

L'eau qui était dans le cabinet du roi servait à faire mourir les princes et les grands seigneurs quand ils étaient criminels; au lieu de leur couper la tête ou de les pendre; on leur frottait le visage de cette eau: ils s'endormaient et ne se réveil-

laient plus. Un soir donc le roi prit la fiole et se frotta bien le visage; puis il s'endormit et mourut. Le petit chien Cabriolle l'apprit des premiers, et ne manqua pas de l'aller dire à Avenant, qui lui dit d'aller trouver la Belle aux cheveux d'or, et de la faire souvenir du pauvre prisonnier.

Cabriolle se glissa doucement dans la presse, car il y avait grand bruit à la cour pour la mort du roi. Il dit à la reine: «Madame, n'oubliez pas le pauvre Avenant.» Elle se souvint aussitôt des peines qu'il avait souffertes à cause d'elle, et de sa grande fidélité: elle sortit sans parler à personne, et fut droit à la tour, où elle ôta elle-même les fers des pieds et des mains d'Avenant, et lui mettant une couronne d'or sur la tête et le manteau royal sur les épaules, elle lui dit: «Venez, aimable Avenant, je vous fais roi, et vous prends pour mon époux.» Il se jeta à ses pieds et la remercia. Chacun fut ravi de l'avoir pour maître; il se fit la plus belle noce du monde, et la Belle aux cheveux d'or vécut longtemps avec le bel Avenant, tous deux heureux et satisfaits.

> *Si par hasard un malheureux*
> *Te demande ton assistance,*
> *Ne lui refuse point un secours généreux:*
> *Un bienfait tôt ou tard reçoit sa récompense.*
> *Quand Avenant, avec tant de bonté,*
> *Servait carpe et corbeau; quand jusqu'au hibou même,*
> *Sans être rebuté de sa laideur extrême,*
> *Il conservait la liberté,*
> *Aurait-on pu jamais le croire,*
> *Que ces animaux quelque jour*
> *Le conduiraient au comble de la gloire,*
> *Lorsqu'il voudrait du roi servir le tendre amour?*
> *Malgré tous les attraits d'une beauté charmante,*
> *Qui commençait pour lui de sentir des désirs,*
> *Il conserve à son maître, étouffant ses soupirs,*
> *Une fidélité constante.*
> *Toutefois, sans raison, il se voit accusé;*
> *Mais quand à son bonheur il paraît plus d'obstacle,*
> *Le ciel lui devait un miracle,*
> *Qu'à la vertu jamais le ciel n'a refusé.*

# LA BICHE AU BOIS

Il était une fois un roi et une reine dont l'union était parfaite; ils s'aimaient tendrement, et leurs sujets les adoraient; mais il manquait à la satisfaction des uns et des autres de leur voir un héritier. La reine, qui était persuadée que le roi l'aimerait encore davantage si elle en avait un, ne manquait pas, au printemps, d'aller boire des eaux qui étaient excellentes. L'on y venait en foule, et le nombre d'étrangers était si grand, qu'il s'en trouvait là de toutes les parties du monde.

Il y avait plusieurs fontaines dans un grand bois où l'on allait boire: elles étaient entourées de marbre et de porphyre, car chacun se piquait de les embellir. Un jour que la reine était assise au bord de la fontaine, elle dit à toutes ses dames de s'éloigner et de la laisser seule; puis elle commença ses plaintes ordinaires: «Ne suis-je pas bien malheureuse, dit-elle, de n'avoir point d'enfants! les plus pauvres femmes en ont: il y a cinq ans que j'en demande au ciel: je n'ai pu encore le toucher. Mourrai-je sans avoir cette satisfaction?»

Comme elle parlait ainsi, elle remarqua que l'eau de la fontaine s'agitait; puis une grosse écrevisse parut et lui dit: «Grande reine, vous aurez enfin ce que vous désirez: je vous avertis qu'il y a ici proche un palais superbe que les fées ont bâti; mais il est impossible de le trouver, parce qu'il est environné de nuées fort épaisses que l'œil d'une personne mortelle ne peut pénétrer. Cependant, comme je suis votre très humble servante, si vous voulez vous fier à la conduite d'une pauvre écrevisse, je m'offre de vous y mener.»

La reine l'écoutait sans l'interrompre, la nouveauté de voir parler une écrevisse l'ayant fort surprise; elle lui dit qu'elle accepterait avec plaisir ses offres, mais qu'elle ne savait pas aller en reculant comme elle. L'écrevisse sourit, et sur le champ elle prit la figure d'une belle petite vieille. «Eh bien, madame, lui dit-elle, n'allons pas à reculons, j'y consens; mais surtout regardez-moi comme une de vos amies, car je ne souhaite que ce qui peut vous être avantageux.»

Elle sortit de la fontaine sans être mouillée. Ses habits étaient blancs, doublés de cramoisi, et ses cheveux gris tout renoués de rubans verts. Il ne s'est guère vu de vieille dont l'air fût plus galant. Elle salua la reine et elle en fut embrassée; et, sans tarder davantage, elle la conduisit dans une route du bois qui surprit cette princesse; car, encore qu'elle y fût venue mille et mille fois, elle n'était jamais entrée dans celle-là. Comment y serait-elle entrée? c'était le chemin des fées pour aller à la fontaine. Il était ordinairement fermé de ronces et d'épines; mais quand la reine et sa conductrice parurent, aussitôt les rosiers poussèrent des roses, les jasmins et les orangers entrelacèrent leurs branches pour faire un berceau couvert de feuilles et de fleurs; la terre fut couverte de violettes; mille oiseaux différents chantaient à l'envi sur les arbres.

Le reine n'était pas encore revenue de sa surprise, lorsque ses yeux furent frappés par l'éclat sans pareil d'un palais tout de diamant; les murs et les toits, les plafonds, les planchers, les degrés, les balcons, jusqu'aux terrasses, tout était de diamant. Dans l'excès de son admiration, elle ne put s'empêcher de pousser un grand cri et de demander à la galante vieille qui l'accompagnait si ce qu'elle voyait était un songe ou une réalité. «Rien n'est plus réel, madame», répliqua-t-elle. Aussitôt les portes du palais s'ouvrirent; il en sortit six fées; mais quelles fées! les plus belles et les plus magnifiques qui aient jamais paru dans leur empire. Elles vinrent toutes faire une profonde révérence à la reine, et chacune lui présenta une fleur de pierreries pour lui faire un bouquet; il y avait une rose, une tulipe, une anémone, une ancolie, un œillet et une grenade. «Madame, lui dirent-elles, nous ne pouvons pas vous donner une plus grande marque de notre considération qu'en vous permettant de nous venir voir ici; nous sommes bien aises de vous annoncer que vous aurez une belle princesse que vous nommerez Désirée; car l'on doit avouer qu'il y a longtemps que vous la désirez. Ne manquez pas aussitôt qu'elle sera au monde, de nous appeler, parce que nous voulons la douer de toutes sortes de bonnes qualités. Vous n'avez qu'à prendre le bouquet que nous vous donnons et nommer chaque fleur en pensant à nous; soyez certaine qu'aussitôt nous serons dans votre chambre.»

La reine, transportée de joie, se jeta à leur col, et les embrassades durèrent plus d'une grosse demi-heure. Après cela elles prièrent la reine d'entrer dans leur palais, dont on ne peut faire une assez belle description. Elles avaient pris pour le bâtir l'architecte du soleil: il avait fait en petit ce que celui du soleil est en grand. La reine, qui n'en soutenait l'éclat qu'avec peine, fermait à tous moments les yeux. Elles la conduisirent dans leur jardin. Il n'a jamais été de si beaux fruits; les abricots étaient plus gros que la tête, et l'on ne pouvait manger une cerise sans la couper en quatre; d'un goût si exquis, qu'après que la reine en eut mangé elle ne voulut de sa vie en manger d'autres. Il y avait un verger tout d'arbres factices qui ne laissaient pas d'avoir vie et de croître comme les autres.

De dire tous les transports de la reine, combien elle parla de la petite princesse Désirée, combien elle remercia les aimables personnes qui lui annonçaient une si agréable nouvelle, c'est ce que je n'entreprendrai point; mais enfin il n'y eut aucun terme de tendresse et de reconnaissance oublié. La fée de la Fontaine y trouva toute la part qu'elle méritait. La reine demeura jusqu'au soir dans le palais. Elle aimait la musique: on lui fit entendre des voix qui lui parurent célestes. On la chargea de présents, et, après avoir remercié ces grandes dames, elle revint avec la fée de la Fontaine.

Toute sa maison était très en peine d'elle: on la cherchait avec beaucoup d'inquiétude, on ne pouvait imaginer en quel lieu elle était: ils craignaient même que quelques étrangers audacieux ne l'eussent enlevée, car elle avait de la beauté et de la jeunesse; de sorte que chacun témoigna une joie extrême de son retour; et comme elle ressentait de son côté une satisfaction infinie des bonnes espérances qu'on venait de lui donner, elle avait une conversation agréable et brillante qui charmait tout le monde.

La fée de la Fontaine la quitta proche de chez elle; les compliments et les caresses redoublèrent à leur séparation, et la reine, étant restée encore huit jours aux eaux, ne manqua pas de retourner au palais des fées avec sa coquette vieille, qui paraissait d'abord en écrevisse et puis qui prenait sa forme naturelle.

La reine partit; elle devint grosse et mit au monde une princesse qu'elle appela Désirée. Aussitôt elle prit le bouquet qu'elle avait reçu; elle nomma toutes les fleurs l'une après l'autre, et sur-le-champ on vit arriver les fées. Chacune avait son chariot de différente manière: l'un était d'ébène, tiré par des pigeons blancs; d'autres d'ivoire, que de petits corbeaux traînaient; d'autres encore de cèdre et de calambour. C'était là leur équipage d'alliance et de paix; car, lorsqu'elles étaient fâchées, ce n'étaient que des dragons volants, que des couleuvres, qui jetaient le feu par la gueule et par les yeux; que lions, que léopards, que panthères, sur lesquels elles se transportaient d'un bout du monde à l'autre en moins de temps qu'il n'en faut pour dire bonjour ou bonsoir; mais, cette fois-ci, elles étaient de la meilleure humeur qu'il est possible.

La reine les vit entrer dans sa chambre avec un air gai et majestueux; leurs nains et leurs naines les suivaient, tout chargés de présents. Après qu'elles eurent embrassé la reine et baisé la petite princesse, elles déployèrent sa layette, dont la toile était si fine et si bonne, qu'on pouvait s'en servir cent ans sans l'user: les fées la filaient à leurs heures de loisir. Pour les dentelles, elles surpassaient encore ce que j'ai dit de la toile; toute l'histoire du monde y était représentée, soit à l'aiguille ou au fuseau. Après cela elles montrèrent les langes et les couvertures qu'elles avaient brodés exprès; l'on y voyait représentés mille jeux différents auxquels les enfants s'amusent. Depuis qu'il y a des brodeurs et des brodeuses il ne s'est rien vu de si merveilleux. Mais quand le berceau parut, la reine s'écria d'admiration, car il surpassait encore tout ce qu'elle avait vu jusqu'alors. Il était d'un bois si rare, qu'il coûtait cent mille écus la livre. Quatre petits amours le soutenaient; c'étaient quatre chefs-d'œuvre, où l'art avait tellement surpassé la matière, quoiqu'elle fût de diamants et de rubis, que l'on n'en peut assez parler. Ces petits amours avaient été animés par les fées, de sorte que, lorsque l'enfant criait, ils le berçaient et l'endormaient; cela était d'une commodité merveilleuse pour les nourrices.

Les fées prirent elles-mêmes la petite princesse sur leurs genoux; elles l'emmaillotèrent et lui donnèrent plus de cent baisers, car elle était déjà si belle, qu'on ne pouvait la voir sans l'aimer. Elles remarquèrent qu'elle avait besoin de téter; aussitôt elles frappèrent la terre avec leur baguette, il parut une nourrice telle qu'il la fallait pour cet aimable poupard. Il ne fut plus question que de douer l'enfant: les fées s'empressèrent de le faire. L'une la doua de vertu et l'autre d'esprit; la troisième d'une beauté miraculeuse; celle d'après d'une heureuse fortune; la cinquième lui désira une longue santé, et la dernière, qu'elle fît bien toutes les choses qu'elle entreprendrait.

La reine, ravie, les remerciait mille et mille fois des faveurs qu'elles venaient de faire à la petite princesse, lorsque l'on vit entrer dans la chambre une si grosse écrevisse, que la porte fut à peine assez large pour qu'elle pût passer. «Ha! trop ingrate reine, dit l'écrevisse, vous n'avez donc pas daigné vous souvenir de moi? Est-il possible que vous ayez sitôt oublié la fée de la Fontaine et les bons offices que je vous ai rendus en vous menant chez mes sœurs? Quoi! vous les avez toutes appelées, je suis la seule que vous négligez! Il est certain que j'en avais un pressentiment, et c'est ce qui m'obligea de prendre la figure d'une écrevisse lorsque je vous parlai la première fois, voulant marquer par là que votre amitié, au lieu d'avancer, reculerait.»

La reine, inconsolable de la faute qu'elle avait faite, l'interrompit et lui demanda pardon; elle lui dit qu'elle avait cru nommer sa fleur comme celle des autres; que c'était le bouquet de pierreries qui l'avait trompée; qu'elle n'était pas capable d'oublier les obligations qu'elle lui avait; qu'elle la suppliait de ne lui point ôter son amitié, et particulièrement d'être favorable à la princesse. Toutes les fées, qui craignaient qu'elle ne la douât de misères et d'infortunes, secondèrent la reine pour l'adoucir: «Ma chère sœur, lui disaient-elles, que votre altesse ne soit point fâchée contre une reine qui n'a jamais eu dessein de vous déplaire! Quittez, de grâce, cette figure d'écrevisse, faites que nous vous voyions avec tous vos charmes.»

J'ai déjà dit que la fée de la Fontaine était assez coquette; les louanges que ses sœurs lui donnèrent l'adoucirent un peu: «Eh bien, dit-elle, je ne ferai pas à Désirée tout le mal que j'avais résolu, car assurément j'avais envie de la perdre, et rien n'aurait pu m'en empêcher. Cependant je veux bien vous avertir que si elle voit le jour avant l'âge de quinze ans elle aura lieu de s'en repentir; il lui en coûtera peut-être la vie.» Les pleurs de la reine et les prières des illustres fées ne changèrent point l'arrêt qu'elle venait de prononcer. Elle se retira à reculons, car elle n'avait pas voulu quitter sa robe d'écrevisse.

Dès qu'elle fut éloignée de la chambre, la triste reine demanda aux fées un moyen pour préserver sa fille des maux qui la menaçaient. Elles tinrent aussitôt conseil, et enfin, après avoir agité plusieurs avis différents, elles s'arrêtèrent à celui-ci: qu'il fallait bâtir un palais sans portes ni fenêtres, y faire une entrée

souterraine, et nourrir la princesse dans ce lieu jusqu'à l'âge fatal où elle était menacée.

Trois coups de baguette commencèrent et finirent ce grand édifice. Il était de marbre blanc et vert par dehors; les plafonds et les planchers de diamants et d'émeraudes qui formaient des fleurs, des oiseaux et mille choses agréables. Tout était tapissé de velours de différentes couleurs, brodé de la main des fées; et, comme elles étaient savantes dans l'histoire, elles s'étaient fait un plaisir de tracer les plus belles et les plus remarquables; l'avenir n'y était pas moins présent que le passé; les actions héroïques du plus grand roi du monde remplissaient plusieurs tentures.

> *Ici du démon de la Thrace*
> *Il a le port victorieux,*
> *Les éclairs redoublés qui partent de ses yeux*
> *Marquent sa belliqueuse audace.*
> *Là, plus tranquille et plus serein,*
> *Il gouverne la France en une paix profonde,*
> *Il fait voir par ses lois que le reste du monde*
> *Lui doit envier son destin.*
> *Par les peintres les plus habiles*
> *Il y paraissait peint avec ces divers traits,*
> *Redoutable en prenant des villes,*
> *Généreux en faisant la paix.*

Ces sages fées avaient imaginé ce moyen pour apprendre plus aisément à la jeune princesse les divers événements de la vie des héros et des autres hommes.

L'on ne voyait chez elle que par la lumière des bougies, mais il y en avait une si grande quantité, qu'elles faisaient un jour perpétuel. Tous les maîtres dont elle avait besoin pour se rendre parfaite furent conduits en ce lieu; son esprit, sa vivacité et son adresse prévenaient presque toujours ce qu'ils voulaient lui enseigner; et chacun d'eux demeurait dans une admiration continuelle des choses surprenantes qu'elle disait, dans un âge où les autres savent à peine nommer leur nourrice; aussi n'est-on pas doué par les fées pour demeurer ignorante et stupide.

Si son esprit charmait tous ceux qui l'approchaient, sa beauté n'avait pas des effets moins puissants; elle ravissait les plus insensibles, et la reine sa mère ne l'aurait jamais quittée de vue, si son devoir ne l'avait pas attachée auprès du roi. Les bonnes fées venaient voir la princesse de temps en temps; elles lui apportaient des raretés sans pareilles, des habits si bien entendus, si riches et si galants, qu'ils semblaient avoir été faits pour la noce d'une jeune princesse qui n'est pas moins aimable que celle dont je parle; mais entre toutes les fées qui la chérissaient, Tulipe l'aimait davantage, et recommandait plus soigneusement à la reine de ne lui pas laisser voir le jour avant qu'elle eût quinze ans. «Notre sœur de la Fontaine est vindicative, lui disait-elle, quelque intérêt que nous prenions à cet enfant, elle lui fera du mal si elle peut. Ainsi, madame, vous ne sauriez être trop vigilante là-dessus.» La reine lui promettait de veiller sans cesse à une affaire si importante; mais comme sa chère fille approchait du temps où elle devait sortir de ce château, elle la fit peindre. Son portrait fut porté dans les plus grandes cours de l'univers. A sa vue, il n'y eut aucun prince qui se défendît de l'admirer; mais il y en eut un qui en fut si touché, qu'il ne pouvait plus s'en séparer. Il le mit dans son cabinet, il s'enfermait avec lui, et, lui parlant comme s'il eût été sensible, qu'il eût pu l'entendre, il lui disait les choses du monde les plus passionnées.

Le roi, qui ne voyait presque plus son fils, s'informa de ses occupations, et de ce qui pouvait l'empêcher de paraître aussi gai qu'à son ordinaire. Quelques courtisans, trop empressés de parler, car il y en a plusieurs de ce caractère, lui dirent qu'il était à craindre que le prince ne perdît l'esprit, parce qu'il demeurait des jours entiers enfermé dans son cabinet, où l'on entendait qu'il parlait seul comme s'il eût été avec quelqu'un.

Le roi reçut cet avis avec inquiétude. «Est-il possible, disait-il à ses confidents, que mon fils perde la raison? Il en a toujours tant marqué! Vous savez l'admiration qu'on a eue pour lui jusqu'à présent, et je ne trouve encore rien d'égaré dans ses yeux; il me paraît seulement plus triste. Il faut que je l'entretienne; je démêlerai peut-être de quelle sorte de folie il est attaqué.»

En effet, il l'envoya quérir; il commanda qu'on se retirât, et après plusieurs choses auxquelles il n'avait pas une grande attention et auxquelles aussi il répondit assez mal, le roi lui demanda ce qu'il pouvait avoir pour que son humeur et sa personne fussent si changées. Le prince, croyant ce moment favorable, se jeta à ses pieds: «Vous avez résolu, lui dit-il, de me faire épouser la princesse Noire; vous trouverez des avantages dans son alliance que je ne puis vous promettre dans celle de la princesse Désirée; mais, seigneur, je trouve des charmes dans celle-ci que je ne rencontrerai point dans l'autre. — Et où les avez-vous vues? dit le roi. — Les portraits de l'une et de l'autre m'ont été apportés, répliqua le prince Guerrier (c'est ainsi qu'on le nommait depuis qu'il avait gagné trois grandes batailles); je vous avoue que j'ai pris une si forte passion pour la princesse Désirée, que si vous ne retirez les paroles que vous avez données à la Noire, il faut que je meure, heureux de cesser de vivre en perdant l'espérance d'être à ce que j'aime. — C'est donc avec son portrait, reprit gravement le roi, que vous prenez en gré de faire des conversations qui vous rendent ridicule à tous les courtisans? Ils vous croient insensé, et si vous saviez ce qui m'est revenu là-dessus, vous auriez honte de marquer tant de faiblesse. — Je ne puis me reprocher une si belle flamme, répondit-il; lorsque vous aurez vu le portrait de cette charmante prin-

146

cesse, vous approuverez ce que je sens pour elle. — Allez donc le quérir tout à l'heure », dit le roi avec un air d'impatience qui faisait assez connaître son chagrin. Le prince en aurait eu de la peine, s'il n'avait pas été certain que rien au monde ne pouvait égaler la beauté de Désirée. Il courut dans son cabinet, et revint chez le roi; il demeura presque aussi enchanté que son fils: «Ah! dit-il, mon cher Guerrier, je consens à ce que vous souhaitez; je rajeunirai lorsque j'aurai une si aimable princesse à ma cour. Je vais dépêcher sur-le-champ des ambassadeurs à celle de la Noire pour retirer ma parole: quand je devrais avoir une rude guerre contre elle, j'aime mieux m'y résoudre.»

Le prince baisa respectueusement les mains de son père, et lui embrassa plus d'une fois les genoux. Il avait tant de joie, qu'on le reconnaissait à peine; il pressa le roi de dépêcher des ambassadeurs, non seulement à la Noire, mais aussi à la Désirée, et il souhaita qu'il choisît pour cette dernière l'homme le plus capable et le plus riche, parce qu'il fallait paraître dans une occasion si célèbre et persuader ce qu'il désirait. Le roi jeta les yeux sur Becafigue; c'était un jeune seigneur très éloquent, qui avait cent millions de rentes. Il aimait passionnément le prince Guerrier; il fit, pour lui plaire, le plus grand équipage et la plus belle livrée qu'il put imaginer. Sa diligence fut extrême, car l'amour du prince augmentait chaque jour, et sans cesse il le conjurait de partir. «Songez, lui disait-il confidemment, qu'il y va de ma vie; que je perds l'esprit lorsque je pense que le père de cette princesse peut prendre des engagements avec quelque autre, sans vouloir les rompre en ma faveur, et que je la perdrais pour jamais.» Becafigue le rassurait afin de gagner du temps, car il était bien aise que sa dépense lui fît honneur. Il mena quatre-vingts carrosses tout brillants d'or et de diamants; la miniature la mieux finie n'approche pas de celle qui les ornait. Il y avait cinquante autres carrosses, vingt-quatre mille pages à cheval, plus magnifiques que les princes, et le reste de ce grand cortège ne se démentait en rien.

Lorsque l'ambassadeur prit son audience de congé du prince, il l'embrassa étroitement: «Souvenez-vous, mon cher Becafigue, lui dit-il, que ma vie dépend du mariage que vous allez négocier; n'oubliez rien pour persuader, et amenez l'aimable princesse que j'adore.» Il le chargea aussitôt de mille présents où la galanterie égalait la magnificence: ce n'était que devises amoureuses gravées sur des cachets de diamants, des montres dans des escarboucles, chargées des chiffres de Désirée; des bracelets de rubis taillés en cœur. Enfin que n'avait-il pas imaginé pour lui plaire!

L'ambassadeur portait le portrait de ce jeune prince, qui avait été peint par un homme si savant, qu'il parlait et faisait de petits compliments pleins d'esprit. A la vérité il ne répondait pas à tout ce qu'on lui disait, mais il ne s'en fallait guère. Becafigue promit au prince de ne rien négliger pour sa satisfaction, et i ajouta qu'il portait tant d'argent, que si on lui refusait la princesse, il trouverait le moyen de gagner quelqu'une de ses femmes et de l'enlever. «Ah! s'écria le prince, je ne puis m'y résoudre; elle serait offensée d'un procédé si peu respectueux.» Becafigue ne répondit rien là-dessus et partit.

Le bruit de son voyage prévint son arrivée; le roi et la reine en furent ravis; ils estimaient beaucoup son maître et savaient les grandes actions du prince Guerrier; mais ce qu'ils connaissaient encore mieux, c'était son mérite personnel; de sorte que quand ils auraient cherché dans tout l'univers un mari pour leur fille, ils n'auraient su en trouver un plus digne d'elle. On prépara un palais pour loger Becafigue et l'on donna tous les ordres nécessaires pour que la cour parût dans la dernière magnificence.

Le roi et la reine avaient résolu que l'ambassadeur verrait Désirée; mais la fée Tulipe vint trouver la reine et lui dit: «Gardez-vous bien, madame, de mener Becafigue chez notre enfant (c'est ainsi qu'elle nommait la princesse); il ne faut pas qu'il la voie si tôt, et ne consentez point à l'envoyer chez le roi qui la demande, qu'elle n'ait passé quinze ans; car je suis assurée que si elle part plus tôt il lui arrivera quelque malheur.» La reine embrassant la bonne Tulipe, elle lui promit de suivre ses conseils, et sur-le-champ elles allèrent voir la princesse.

L'ambassadeur arriva. Son équipage demeura vingt-trois heures à passer; car il avait six cent mille mulets, dont les clochettes et les fers étaient d'or, leurs couvertures de velours et de brocart en broderie de perle. C'était un embarras sans pareil dans les rues: tout le monde était accouru pour le voir. Le roi et la reine allèrent au-devant de lui, tant ils étaient aises de sa venue. Il est inutile de parler de la harangue qu'il fit et des cérémonies qui se passèrent de part et d'autre: on peut assez les imaginer; mais lorsqu'il demanda à saluer la princesse, il demeura bien surpris que cette grâce lui fût déniée. «Si nous vous refusons, seigneur Becafigue, lui dit le roi, une chose qui paraît si juste, ce n'est point par un caprice qui nous soit particulier; il faut vous raconter l'étrange aventure de notre fille, afin que vous y preniez part. Une fée, au moment de sa naissance, la prit en aversion, et la menaça d'une très grande infortune si elle voyait le jour avant l'âge de quinze ans. Nous la tenons dans un palais où les plus beaux appartements sont sous terre. Comme nous étions dans la résolution de vous y mener, la fée Tulipe nous a prescrit de n'en rien faire. — Eh! quoi, sire, répliqua l'ambassadeur, aurai-je le chagrin de m'en retourner sans elle? Vous l'accorderez au roi mon maître pour son fils, elle est attendue avec mille impatiences; est-il possible que vous vous arrêtiez à des bagatelles comme sont les prédictions des fées? Voilà le portrait du prince Guerrier que j'ai ordre de lui présenter; il est si ressemblant, que je crois le voir lui-même lorsque je le regarde.» Il le déploya aussitôt; le portrait, qui n'était instruit que pour parler à la princesse, dit: «Belle Désirée, vous ne

148

pouvez imaginer avec quelle ardeur je vous attends: venez bientôt dans notre cour l'orner des grâces qui vous rendent incomparable.» Le portrait ne dit plus rien; le roi et la reine demeurèrent si surpris, qu'ils prièrent Becafigue de le leur donner pour le porter à la princesse. Il en fut ravi, et le remit entre leurs mains.

La reine n'avait point parlé jusqu'alors à sa fille de ce qui se passait; elle avait même défendu aux dames qui étaient auprès d'elle de lui rien dire de l'arrivée de l'ambassadeur: elles ne lui avaient pas obéi, et la princesse savait qu'il s'agissait d'un grand mariage; mais elle était si prudente, qu'elle n'en avait rien témoigné à sa mère. Quand elle lui montra le portrait du prince, qui parlait et qui lui fit un compliment aussi tendre que galant, elle en fut fort surprise; car elle n'avait rien vu d'égal à cela, et la bonne mine du prince, l'air d'esprit, la régularité de ses traits, ne l'étonnaient pas moins que ce que disait le portrait. «Seriez-vous fâchée, lui dit la reine, en riant, d'avoir un époux qui ressemblât à ce prince? — Madame, répliqua-t-elle, ce n'est point à moi à faire un choix; ainsi je serai toujours contente de celui que vous me destinerez. — Mais enfin, ajouta la reine, si le sort tombait sur lui, ne vous estimeriez-vous pas heureuse?» Elle rougit, baissa les yeux, et ne répondit rien. La reine la prit entre ses bras et la baisa plusieurs fois. Elle ne put s'empêcher de verser des larmes lorsqu'elle pensa qu'elle était sur le point de la perdre, car il ne s'en fallait plus que trois mois qu'elle n'eût quinze ans; et cachant son déplaisir, elle lui déclara tout ce qui la regardait dans l'ambassade du célèbre Becafigue; elle lui donna même les raretés qu'il avait apportées pour lui présenter. Elle les admira, elle loua avec beaucoup de goût ce qu'il y avait de plus curieux, mais de temps en temps ses regards s'échappaient pour s'attacher sur le portrait du prince, avec un plaisir qui lui avait été inconnu jusqu'alors.

L'ambassadeur, voyant qu'il faisait des instances inutiles pour qu'on lui donnât la princesse, et qu'on se contentait de la lui promettre, mais si solennellement qu'il n'y avait pas lieu d'en douter, demeura peu auprès du roi, et retourna en poste rendre compte à ses maîtres de sa négociation.

Quand le prince sut qu'il ne pouvait espérer sa chère Désirée de plus de trois mois, il fit des plaintes qui affligèrent toute la cour. Il ne dormait plus, il ne mangeait point; il devint triste et rêveur; la vivacité de son teint se changea en couleur de souci. Il demeurait des jours entiers couché sur un canapé dans son cabinet à regarder le portrait de sa princesse; il lui écrivait à tous moments et présentait les lettres à ce portrait, comme s'il eût été capable de les lire. Enfin ses forces diminuèrent peu à peu, il tomba dangereusement malade, et pour en deviner la cause, il ne fallait ni médecins, ni docteurs.

Le roi se désespérait. Il aimait son fils plus tendrement que jamais père n'a aimé le sien. Il se trouvait sur le point de le perdre. Quelle douleur pour un père! Il ne voyait aucun remède qui pût guérir le prince. Il souhaitait Désirée; sans elle il fallait mourir. Il prit donc la résolution, dans une si grande extrémité, d'aller trouver le roi et la reine qui l'avaient promise, pour les conjurer d'avoir pitié de l'état où le prince était réduit, et de ne plus différer un mariage qui ne se ferait jamais s'ils voulaient obstinément attendre que la princesse eût quinze ans.

Cette démarche était extraordinaire; mais elle l'aurait été bien davantage s'il eût laissé périr un fils si aimable et si cher. Cependant il se trouva une difficulté qui était insurmontable: c'est que son grand âge ne lui permettait que d'aller en litière, et cette voiture s'accordait mal avec l'impatience de son fils; de sorte qu'il envoya en poste le fidèle Becafigue, et il écrivit les lettres du monde les plus touchantes pour engager le roi et la reine à ce qu'il souhaitait.

Pendant ce temps, Désirée n'avait guère moins de plaisir à voir le portrait du prince qu'il en avait à regarder le sien. Elle allait à tout moment dans le lieu où il était; et quelque soin qu'elle prit de cacher ses sentiments, on ne laissait pas de les pénétrer. Entre autres, Giroflée et Longue-Épine, qui étaient ses filles d'honneur, s'aperçurent des petites inquiétudes qui commençaient à la tourmenter. Giroflée, l'aimait passionnément et lui était fidèle; Longue-Épine de tout temps sentait une jalousie secrète de son mérite et de son rang. Sa mère avait élevé la princesse; après avoir été sa gouvernante, elle devint sa dame d'honneur: elle aurait dû l'aimer comme la chose du monde la plus aimable, quoiqu'elle chérît sa fille jusqu'à la folie; et voyant la haine qu'elle avait pour la belle princesse, elle ne pouvait lui vouloir du bien.

L'ambassadeur que l'on avait dépêché à la cour de la princesse Noire ne fut pas bien reçu lorsqu'on apprit le compliment dont il était chargé. Cette Éthiopienne était la plus vindicative créature du monde; elle trouva que c'était la traiter cavalièrement, après avoir pris des engagements avec elle, de lui envoyer dire ainsi qu'on la remerciait. Elle avait vu un portrait du prince dont celle s'était entêtée, et les Éthiopiennes, quand elles se mêlent d'aimer, aiment avec plus d'extravagance que les autres. «Comment, monsieur l'ambassadeur, dit-elle, est-ce que votre maître ne me croit pas assez riche ni assez belle? promenez-vous dans mes États, vous trouverez qu'il n'en est guère de plus vastes; venez dans mon trésor royal voir plus d'or que toutes les mines du Pérou n'en ont jamais fourni; enfin regardez la noirceur de mon teint, ce nez écrasé, ces grosses lèvres; n'est-ce pas ainsi qu'il faut être pour être belle? — Madame, répondit l'ambassadeur, qui craignait les bastonnades plus que tous ceux qu'on envoie à la Porte, je blâme mon maître autant qu'il est permis à un sujet; et si le ciel m'avait mis sur le premier trône de l'univers, je sais vraiment bien à qui je l'offrirais. — Cette parole vous sauvera la vie, lui dit-elle. J'avais résolu de commencer ma vengeance sur vous; mais il y aurait de l'injustice, puisque vous n'êtes pas cause du mauvais procédé de votre prince. Allez lui dire qu'il me fait plaisir de rompre avec moi, parce que je n'aime pas les malhonnêtes gens.» L'ambassadeur, qui ne demandait pas mieux que son congé, l'eut à peine obtenu qu'il en profita.

Mais l'Éthiopienne était trop piquée contre le prince Guerrier pour lui pardonner. Elle monta dans un char d'ivoire traîné par six autruches qui faisaient dix lieues par heure. Elle se rendit au palais de la fée de la Fontaine; c'était sa marraine et sa meilleure amie. Elle lui raconta son aventure et la pria avec les dernières instances de servir son ressentiment. La fée fut sensible à la douleur de sa filleule; elle regarda dans le livre qui dit tout, et elle connut aussitôt que le prince Guerrier ne quittait la princesse Noire que pour la princesse Désirée, qu'il l'aimait éperdument, et qu'il était même malade de la seule impatience de la voir. Cette connaissance ralluma sa colère, qui était presque éteinte, et comme elle ne l'avait pas vue depuis le moment de sa naissance, il est à croire qu'elle aurait négligé de lui faire du mal si la vindicative Noiron ne l'en avait pas conjurée. «Quoi! s'écria-t-elle, cette malheureuse Désirée veut donc toujours me déplaire? Non, charmante princesse, non, ma mignonne, je ne souffrirai pas qu'on te fasse un affront; les cieux et tous les éléments s'intéressent dans cette affaire. Retourne chez toi et te repose sur ta chère marraine.» La princesse Noire la remercia; elle lui fit des présents de fleurs et de fruits qu'elle reçut fort agréablement.

L'ambassadeur Becafigue s'avançait en toute diligence vers la ville capitale où le père de Désirée faisait son séjour. Il se jeta aux pieds du roi et de la reine; il versa beaucoup de larmes, et leur dit, dans les termes les plus touchants, que le prince Guerrier mourrait s'ils lui retardaient plus longtemps le plaisir de voir la princesse leur fille; qu'il ne s'en fallait plus que trois mois qu'elle n'eût quinze ans; qu'il ne lui pouvait rien arriver de fâcheux dans un espace si court; qu'il prenait la liberté de les avertir qu'une si grande crédulité pour de petites fées faisait tort à la majesté royale. Enfin il harangua si bien qu'il eut le don de persuader. On pleura avec lui, se représentant le triste état où le jeune prince était réduit, et puis on lui dit qu'il fallait quelques jours pour se déterminer et lui répondre. Il repartit qu'il ne pouvait donner que quelques heures; que son maître était à l'extrémité; qu'il s'imaginait que la princesse le haïssait, et que c'était elle qui retardait son voyage. On l'assura donc que le soir il saurait ce qu'on pouvait faire.

La reine courut au palais de sa chère fille; elle lui conta tout ce qui se passait. Désirée sentit alors une douleur sans pareille; son cœur se serra, elle s'évanouit, et la reine connut les sentiments qu'elle avait pour le prince. «Ne vous affligez point, ma chère enfant, lui dit-elle, vous pouvez tout pour sa guérison; je ne suis inquiète que pour les menaces que la fée de la Fontaine fit à votre naissance. — Je me flatte, madame, répliqua-t-elle, qu'en prenant quelques mesures nous tromperons la méchante fée. Par exemple, ne pourrais-je pas aller dans un carrosse tout fermé où je ne verrais point le jour? On l'ouvrirait la nuit pour nous donner à manger; ainsi j'arriverais heureusement chez le prince Guerrier.»

La reine goûta beaucoup cet expédient, elle en fit part au roi qui l'approuva aussi; de sorte qu'on envoya dire à Becafigue de venir promptement, et il reçut des assurances certaines que la princesse partirait au plus tôt, qu'ainsi il n'avait qu'à s'en retourner, pour donner cette bonne nouvelle à son maître; et que pour se hâter davantage, on négligerait de lui faire l'équipage et les riches habits qui convenaient à son rang. L'ambassadeur, transporté de joie, se jeta encore aux pieds de leurs majestés, pour les remercier. Il partit ensuite sans avoir vu la princesse.

La séparation du roi et de la reine lui aurait semblé insupportable, si elle avait été moins prévenue en faveur du prince: mais il est de certains sentiments qui étouffent presque tous les autres. On lui fit un carrosse de velours vert par dehors, orné de grandes plaques d'or, et par dedans de brocart argent et couleur de rose rebrodé; il n'y avait aucune glace; il était fort grand, il fermait mieux qu'une boîte, et un seigneur des premiers du royaume fut chargé des clefs qui ouvraient les serrures qu'on avait mises aux portières.

> *Autour d'elle on voyait les Grâces,*
> *Les ris, les plaisirs et les jeux,*
> *Et les Amours respectueux*
> *Empressés à suivre ses traces;*
> *Elle avait l'air majestueux,*
> *Avec une douceur céleste.*
> *Elle s'attirait tous les vœux*
> *Sans compter ici tout le reste,*
> *Elle avait les mêmes attraits*
> *Que fit briller Adélaïde,*
> *Quand, l'hymen lui servant de guide,*
> *Elle vint dans ces lieux pour cimenter la paix.*

L'on nomma peu d'officiers pour l'accompagner, afin qu'une nombreuse suite n'embarrassât point; et après lui avoir donné les plus belles pierreries du monde et quelques habits très riches, après, dis-je, des adieux qui pensèrent faire étouffer le roi, la reine et toute la cour, à force de pleurer, on l'enferma dans le carrosse sombre avec sa dame d'honneur, Longue-Épine et Giroflée.

On a peut-être oublié que Longue-Épine n'aimait point la princesse Désirée; mais elle aimait fort le prince Guerrier, car elle avait vu son portrait parlant. Le trait qui l'avait blessée était si vif, qu'étant sur le point de partir elle dit à sa mère qu'elle mourrait si le mariage de la princesse s'accomplissait, et que si elle voulait la conserver, il fallait absolument, qu'elle trouvât un moyen de rompre cette affaire. La dame d'honneur lui dit de ne se point affliger, qu'elle tâcherait de remédier à sa peine en la rendant heureuse.

Lorsque la reine envoya sa chère enfant, elle la recommanda au delà de tout ce qu'on peut dire à cette mauvaise femme. «Quel dépôt ne vous confié-je pas! lui dit-elle; c'est plus que ma vie. Prenez soin de la santé de ma fille; mais surtout soyez soigneuse d'empêcher qu'elle ne voie le jour, tout serait perdu. Vous savez de quels maux elle est menacée, et je suis convenue avec l'ambassadeur du prince Guerrier que, jusqu'à ce qu'elle ait quinze ans, on la mettrait dans un château où elle ne verra aucune lumière que celle des bougies.» La reine combla cette dame de présents, pour l'engager à une plus grande exactitude. Elle lui promit de veiller à la conservation de la princesse et de lui en rendre bon compte aussitôt qu'elles seraient arrivées.

Ainsi le roi et la reine, se reposant sur ses soins, n'eurent point d'inquiétude pour leur chère fille; cela servit en quelque façon à modérer la douleur que son éloignement leur causait. Mais Longue-Épine, qui apprenait tous les soirs, par les officiers de la princesse qui ouvraient le carrosse pour lui servir à souper, que l'on approchait de la ville où elles étaient attendues, pressait sa mère d'exécuter son dessein, craignant que le roi et le prince ne vinssent au-devant d'elle, et qu'il ne fût plus temps; de sorte qu'environ l'heure de midi, où le soleil darde ses rayons avec force, elle coupa tout d'un coup l'impériale du carrosse où elles étaient renfermées, avec un grand couteau fait exprès qu'elle avait apporté. Alors pour la première fois la princesse Désirée vit le jour. A peine l'eut-elle regardé et poussé un profond soupir, qu'elle se précipita du carrosse sous la forme d'une biche blanche et se mit à courir jusqu'à la forêt prochaine, où elle s'enfonça dans un lieu sombre, pour y regretter, sans témoins, la charmante figure qu'elle venait de perdre.

La fée de la Fontaine, qui conduisait cette étrange aventure, voyant que tous ceux qui accompagnaient la princesse se mettaient en devoir, les uns de la suivre et les autres d'aller à la ville, pour avertir le prince Guerrier du malheur qui venait d'arriver, sembla aussitôt bouleverser la nature; les éclairs et le tonnerre effrayèrent les plus assurés, et par son merveilleux savoir elle transporta tous ces gens fort loin, afin de les éloigner du lieu où leur présence lui déplaisait.

Il ne resta que la dame d'honneur, Longue-Épine et Giroflée. Celle-ci courut après sa maîtresse, faisant retentir les bois et les rochers de son nom et de ses plaintes. Les deux autres, ravies d'être en liberté, ne perdirent pas un moment à faire ce qu'elles avaient projeté. Longue-Épine mit les plus riches habits de Désirée. Le manteau royal qui avait été fait pour ses noces était d'une richesse sans pareille, et la couronne avait des diamants deux ou trois fois gros comme le poing; son sceptre était d'un seul rubis; le globe qu'elle tenait dans l'autre main, d'une perle plus grosse que la tête. Cela était rare et très lourd à porter; mais il fallait persuader qu'elle était la princesse, et ne rien négliger de tous les ornements royaux.

En cet équipage, Longue-Épine, suivie de sa mère, qui portait la queue de son manteau, s'achemine vers la ville. Cette fausse princesse marchait gravement, elle ne doutait pas que l'on ne vînt les recevoir; et, en effet, elles n'étaient guère avancées quand elles aperçurent un gros de cavalerie, et, au milieu, deux litières brillantes d'or et de pierreries, portées par des mulets ornés de longs panaches de plumes vertes (c'était la couleur favorite de la princesse). Le roi, qui était dans l'une, et le prince malade dans l'autre, ne savaient que juger de ces dames qui venaient à eux. Les plus empressés galopèrent vers elles, et jugèrent par la magnificence de leurs habits qu'elles devaient être des personnes de distinction. Ils mirent pied à terre, et les abordèrent respectueusement. «Obligez-moi de m'apprendre, leur dit Longue-Épine, qui est dans ces litières? — Mesdames, répliquèrent-ils, c'est le roi et le prince son fils, qui viennent au-devant de la princesse Désirée. — Allez, je vous prie, leur dire, continua-t-elle, que la voici. Une fée, jalouse de mon bonheur, a dispersé tous ceux qui m'accompagnaient, par une centaine de coups de tonnerre, d'éclairs et de prodiges surprenants; mais voici ma dame d'honneur, qui est chargée des lettres du roi mon père et de mes pierreries.»

Aussitôt ces cavaliers lui baisèrent le bas de sa robe, et furent en diligence annoncer au roi que la princesse approchait. «Comment! s'écria-t-il, elle vient à pied en plein jour!» Ils lui racontèrent ce qu'elle avait dit. Le prince, brûlant d'impatience: «Avouez, leur dit-il, que c'est un prodige de beauté, un miracle, une princesse tout accomplie.» Ils ne répondirent rien, et surprirent le prince. «Pour avoir trop à louer, continua-t-il, vous aimez mieux vous taire. — Seigneur, vous l'allez voir, lui dit le plus hardi d'entre eux; apparemment que la fatigue du voyage l'a changée.» Le prince demeura surpris; s'il avait été moins faible, il se serait précipité de la litière pour satisfaire son impatience et sa curiosité. Le roi descendit de la sienne, et s'avançant avec toute la cour, il joignit la fausse princesse; mais aussitôt qu'il eut jeté les yeux sur elle, il poussa un grand cri, et reculant quelques pas: «Que vois-je! dit-il. Quelle perfidie! — Sire, dit la dame d'honneur en s'avançant hardiment, voici la princesse Désirée, avec les lettres du roi et de la reine; je remets aussi entre vos mains la cassette de pierreries dont ils me chargèrent en partant.»

Le roi gardait à tout cela un morne silence, et le prince, s'appuyant sur Becafigue, s'approcha de Longue-Épine. O dieux! que devint-il après avoir considéré cette fille, dont la taille extraordinaire faisait peur! Elle était si grande, que

les habits de la princesse lui couvraient à peine les genoux; sa maigreur affreuse, son nez, plus crochu que celui d'un perroquet, brillait d'un rouge luisant; il n'a jamais été de dents plus noires et plus mal rangées. Enfin elle était aussi laide que Désirée était belle.

Le prince, qui n'était occupé que de la charmante idée de sa princesse, demeura transi et comme immobile à la vue de celle-ci; il n'avait pas la force de proférer une parole, il la regardait avec étonnement, et s'adressant ensuite au roi: «Je suis trahi, lui dit-il; ce merveilleux portrait sur lequel j'engageai ma liberté n'a rien de la personne qu'on nous envoie. L'on a cherché à nous tromper; l'on y a réussi, il m'en coûtera la vie. — Comment l'entendez-vous, seigneur? dit Longue-Épine; l'on a cherché à vous tromper? Sachez que vous ne le serez jamais en m'épousant.» Son effronterie et sa fierté n'avaient pas d'exemples. La dame d'honneur renchérissait encore par-dessus. «Ah! ma belle princesse! s'écriait-elle, où sommes-nous venues? Est-ce ainsi que l'on reçoit une personne de votre rang? Quelle inconstance! quel procédé! Le roi votre père en saura bien tirer raison. — C'est nous qui nous la ferons faire, répliqua le roi. Il nous avait promis une belle princesse, il nous envoie un squelette, une momie qui fait peur. Je ne m'étonne plus qu'il ait gardé ce beau trésor caché pendant quinze ans; il voulait attraper quelque dupe. C'est sur nous que le sort a tombé, mais il n'est pas impossible de s'en venger. — Quels outrages! s'écria la fausse princesse; ne suis-je pas bien malheureuse d'être venue sur la parole de telles gens! Voyez que l'on a grand tort de s'être fait peindre un peu plus belle que l'on est: cela n'arrive-t-il pas tous les jours? Si pour tels inconvénients les princes renvoyaient leurs fiancées, peu se marieraient.»

Le roi et le prince, transportés de colère, ne daignèrent pas lui répondre, ils remontèrent chacun dans leur litière; et, sans autre cérémonie, un garde du corps mit la princesse en trousse derrière lui, et la dame d'honneur fut traitée de même. On les mena dans la ville; par ordre du roi elles furent enfermées dans le château des Trois-Pointes.

Le prince Guerrier avait été si accablé du coup qui venait de le frapper, que son affliction s'était toute renfermée dans son cœur. Lorsqu'il eut assez de force pour se plaindre, que ne dit-il pas sur sa cruelle destinée! Il était toujours amoureux, et n'avait pour tout objet de sa passion qu'un portrait. Ses espérances ne subsistaient plus, toutes les idées si charmantes qu'il s'était faites sur la princesse Désirée se trouvaient échouées. Il aurait mieux aimé mourir que d'épouser celle qu'il prenait pour elle. Enfin, jamais désespoir ne fut égal au sien: il ne pouvait plus souffrir la cour, et il résolut, dès que sa santé put lui permettre, de s'en aller secrètement et de se rendre dans quelque lieu solitaire pour y passer le reste de sa triste vie.

Il ne communiqua son dessein qu'au fidèle Becafigue; il était bien persuadé qu'il le suivrait partout, et il le choisit pour parler avec lui plus souvent qu'avec un autre du mauvais tour qu'on lui avait joué. A peine commença-t-il à se porter mieux, qu'il partit et laissa une grande lettre pour le roi sur la table de son cabinet, l'assurant qu'aussitôt que son esprit serait un peu tranquillisé il reviendrait auprès de lui; mais qu'il le suppliait, en attendant, de penser à leur commune vengeance, et de retenir toujours la laide princesse prisonnière.

Il est aisé de juger de la douleur qu'eut le roi lorsqu'il reçut cette lettre. La séparation d'un fils si cher pensa le faire mourir. Pendant que tout le monde était occupé à le consoler, le prince et Becafigue s'éloignaient, et au bout de trois jours ils se trouvèrent dans une vaste forêt, si sombre par l'épaisseur des arbres, si agréable par la fraîcheur de l'herbe et des ruisseaux qui coulaient de tous côtés, que le prince, fatigué de la longueur du chemin, car il était encore malade, descendit de cheval et se jeta tristement sur la terre, sa main sous sa tête, ne pouvant presque parler, tant il était faible. «Seigneur, lui dit Becafigue, pendant que vous allez vous reposer, je vais chercher quelques fruits pour vous rafraîchir et reconnaître un peu le lieu où nous sommes.» Le prince ne lui répondit rien, il lui témoigna seulement par un signe qu'il le pouvait.

Il y a longtemps que nous avons laissé la biche au bois, je veux parler de l'incomparable princesse. Elle pleura en biche désolée, lorsqu'elle vit sa figure dans une fontaine qui lui servait de miroir: «Quoi! c'est moi! disait-elle. C'est aujourd'hui que je me trouve réduite à subir la plus étrange aventure qui puisse arriver du règne des fées à une innocente princesse telle que je suis! Combien durera ma métamorphose? Où me retirer pour que les lions, les ours et les loups ne me dévorent point? Comment pourrai-je manger de l'herbe?» Enfin elle se faisait mille questions et ressentait la plus cruelle douleur qu'il est possible. Il est vrai que si quelque chose pouvait la consoler, c'est qu'elle était une aussi belle biche qu'elle avait été belle princesse.

La faim pressant Désirée, elle brouta l'herbe de bon appétit et demeura surprise que cela pût être. Ensuite elle se coucha sur la mousse; la nuit la surprit, elle la passa avec des frayeurs inconcevables. Elle entendait les bêtes féroces proche d'elle, et souvent, oubliant qu'elle était biche, elle essayait de grimper sur un arbre. La clarté du jour la rassura un peu; elle admirait sa beauté, et le soleil lui paraissait quelque chose de si merveilleux, qu'elle ne se lassait point de le regarder, tout ce qu'elle en avait entendu dire lui semblait fort au-dessous de ce qu'elle voyait. C'était l'unique consolation qu'elle pouvait trouver dans un lieu si désert; elle y resta toute seule pendant plusieurs jours.

La fée Tulipe, qui avait toujours aimé cette princesse, ressentait vivement son malheur; mais elle avait un véritable dépit que la reine et elle eussent fait si peu de cas de ses avis, car elle leur dit plusieurs fois que si la princesse partait avant que d'avoir quinze ans elle s'en trouverait mal; cependant elle ne voulait point l'abandonner aux furies de la fée de la Fontaine, et ce fut elle qui conduisit les pas de Giroflée vers la forêt, afin que cette fidèle confidente pût la consoler dans sa disgrâce.

Cette belle biche passait doucement le long d'un ruisseau quand Giroflée, qui ne pouvait presque marcher, se coucha pour se reposer. Elle rêvait tristement de quel côté elle pourrait aller pour trouver sa chère princesse. Lorsque la biche l'aperçut, elle franchit tout d'un coup le ruisseau, qui était large et profond, elle vint se jeter sur Giroflée et lui faire mille caresses. Elle en demeura surprise; elle ne savait si les bêtes de ce canton avaient quelque amitié particulière pour les hommes qui les rendît humaines, ou si elle la connaissait; car enfin il était fort singulier qu'une biche s'avisât de faire si bien les honneurs de la forêt.

Elle la regarda attentivement, et vit avec une extrême surprise de grosses larmes qui coulaient de ses yeux; elle ne douta plus que ce ne fût sa chère princesse. Elle prit ses pieds, elle les baisa avec autant de respect et de tendresse qu'elle avait baisé ses mains. Elle lui parla et connut que la biche l'entendait, mais qu'elle ne pouvait lui répondre; les larmes et les soupirs redoublèrent de part et d'autre. Giroflée promit à sa maîtresse qu'elle ne la quitterait point, la biche lui fit mille petits signes de la tête et des yeux, qui marquaient qu'elle en serait très aise et qu'elle la consolerait d'une partie de ses peines.

Elles étaient demeurées presque tout le jour ensemble; Bichette eut peur que sa fidèle Giroflée n'eût besoin de manger, elle la conduisit dans un endroit de la forêt où elle avait remarqué des fruits sauvages qui ne laissaient pas d'être bons. Elle en prit quantité, car elle mourait de faim; mais après que sa collation fut finie, elle tomba dans une grande inquiétude, ne sachant où elles se retireraient pour dormir: car, de rester au milieu de la forêt exposées à tous les périls qu'elles pouvaient courir, il n'était pas possible de s'y résoudre. «N'êtes-vous point effrayée, charmante biche, lui dit-elle, de passer la nuit ici?» La biche leva les yeux vers le ciel et soupira. «Mais, continua Giroflée, vous avez parcouru déjà une partie de cette vaste solitude, n'y a-t-il point de maisonnettes, un charbonnier, un bûcheron, un ermitage?» La biche marqua par les mouvements de sa tête qu'elle n'avait rien vu. «O dieux! s'écria Giroflée, je ne serai pas en vie demain. Quand j'aurais le bonheur d'éviter les tigres et les ours, je suis certaine que la peur suffit pour me tuer; et ne croyez pas au reste, ma chère princesse, que je regrette la vie par rapport à moi: je la regrette par rapport à vous. Hélas! vous laisser dans ces lieux dépourvue de toute consolation! se peut-il rien de plus triste?» La petite biche se prit à pleurer, elle sanglotait presque comme une personne.

Ses larmes touchèrent la fée Tulipe, qui l'aimait tendrement; malgré sa déso-béissance, elle avait toujours veillé à sa conservation, et, paraissant tout d'un coup: «Je ne veux point vous gronder, lui dit-elle; l'état où je vous vois me fait trop de peine.» Bichette et Giroflée l'interrompaient en se jetant à ses genoux; la première lui baisait les mains et la caressait le plus joliment du monde, l'autre la conjurait d'avoir pitié de la princesse, et de lui rendre sa figure naturelle. «Cela ne dépend pas de moi, dit Tulipe; celle qui lui fait tant de mal a beaucoup de pouvoir. Mais j'accourcirai le temps de sa pénitence, et, pour l'adoucir, aussi-tôt que le jour laissera sa place à la nuit, elle quittera sa forme de biche; mais à peine l'aurore paraîtra-t-elle, qu'il faudra qu'elle la reprenne, et qu'elle coure les plaines et les forêts comme les autres.»

C'était déjà beaucoup de cesser d'être biche pendant la nuit; la princesse té-moigna sa joie par des sauts et des bonds qui réjouirent Tulipe. «Avancez-vous, leur dit-elle, dans ce petit sentier, vous y trouverez une cabane assez propre pour un endroit champêtre.» En achevant ces mots, elle disparut. Giroflée obéit, elle entra avec Bichette dans la route qu'elles voyaient, et trouvèrent une vieille femme assise sur le pas de sa porte, qui achevait un panier d'osier fin. Giroflée la salua. «Voudriez-vous, ma bonne mère, lui dit-elle, me retirer avec ma biche? Il me faudrait une petite chambre. — Oui, ma belle fille, répondit-elle, je vous donnerai volontiers une retraite ici; entrez avec votre biche.» Elle les mena aussi-tôt dans une chambre très jolie, toute boisée de merisier; il y avait deux petits lits de toile blanche, des draps fins, et tout paraissait si simple et si propre, que la princesse a dit depuis qu'elle n'avait rien trouvé de plus à son gré.

Dès que la nuit fut entièrement venue, Désirée cessa d'être biche. Elle embrassa cent fois sa chère Giroflée; elle la remercia de l'affection qui l'engageait à suivre sa fortune, et lui promit qu'elle rendrait la sienne très heureuse dès que sa péni-tence serait finie.

La vieille vint frapper doucement à leur porte, et, sans entrer, elle donna des fruits excellents à Giroflée, dont la princesse mangea avec grand appétit, ensuite elles se couchèrent; et sitôt que le jour parut, Désirée, étant redevenue biche, se mit à gratter à la porte afin que Giroflée lui ouvrît. Elles se témoignèrent un sensible regret de se séparer, quoique ce ne fût pas pour longtemps, et Bichette s'étant élancée dans le plus épais du bois, elle commença d'y courir à son ordinaire.

J'ai déjà dit que le prince Guerrier s'était arrêté dans la forêt, et que Becafigue la parcourait pour trouver quelques fruits. Il était assez tard lorsqu'il se rendit à la maisonnette de la bonne vieille dont j'ai parlé. Il lui parla civilement, et lui demanda les choses dont il avait besoin pour son maître. Elle se hâta d'emplir une corbeille et la lui donna. «Je crains, dit-elle, que si vous passez la nuit ici sans retraite, il ne vous arrive quelque accident; je vous en offre une bien pauvre, mais au moins elle met à l'abri des lions.» Il la remercia, et lui dit qu'il était avec un de ses amis; qu'il allait lui proposer de venir chez elle. En effet, il sut si bien persuader le prince, qu'il se laissa conduire chez cette bonne femme. Elle était encore à sa porte, et, sans faire aucun bruit, elle les mena dans une chambre semblable à celle que la princesse occupait, si proches l'une de l'autre, qu'elles n'étaient séparées que par une cloison.

Le prince passa la nuit avec ses inquiétudes ordinaires. Dès que les premiers rayons du soleil eurent brillé à ses fenêtres, il se leva, et pour divertir sa tristesse, il sortit dans la forêt, disant à Becafigue de ne point venir avec·lui. Il marcha longtemps sans tenir aucune route certaine; enfin il arriva dans un lieu assez spacieux, couvert d'arbres et de mousse; aussitôt une biche en partit. Il ne put s'empêcher de la suivre. Son penchant dominant était pour la chasse, mais il n'était plus si vif depuis la passion qu'il avait dans le cœur. Malgré cela, il poursuivit la pauvre biche, et de temps en temps il lui décochait des traits qui la faisaient mourir de peur, quoiqu'elle n'en fût pas blessée: car son amie Tulipe la garantissait, et il ne fallait pas moins que la main secourable d'une fée pour la préserver de périr sous des coups si justes. L'on n'a jamais été si lasse que l'était la princesse des biches: l'exercice qu'elle faisait lui était bien nouveau. Enfin elle se détourna à un sentier si heureusement, que le dangereux chasseur, la perdant de vue et se trouvant lui-même extrêmement fatigué, ne s'obstina pas à la suivre.

Le jour s'étant passé de cette manière, la biche vit avec joie l'heure de se retirer; elle tourna ses pas vers la maison où Giroflée l'attendait impatiemment. Dès qu'elle fut dans sa chambre, elle se jeta sur le lit, haletante, elle était tout en nage. Giroflée lui fit mille caresses; elle mourait d'envie de savoir ce qui lui était arrivé. L'heure de se débichonner étant arrivée, la belle princesse reprit sa forme ordinaire. Jetant les bras au cou de sa favorite: «Hélas! lui dit-elle, je croyais n'avoir à craindre que la fée de la Fontaine et les cruels hôtes des forêts; mais j'ai été poursuivie aujourd'hui par un jeune chasseur, que j'ai vu à peine, tant j'étais pressée de fuir. Mille traits décochés après moi me menaçaient d'une mort inévitable; j'ignore encore par quel bonheur j'ai pu m'en sauver. — Il ne faut plus sortir, ma princesse, répliqua Giroflée. Passez dans cette chambre le temps fatal de votre pénitence. J'irai dans la ville la plus proche acheter des livres pour vous divertir; nous lirons les Contes nouveaux que l'on a faits sur les fées, nous ferons des vers et des chansons. — Tais-toi, ma chère fille, reprit la princesse. La charmante idée du prince Guerrier suffit pour m'occuper agréablement; mais le même pouvoir qui me réduit pendant le jour à la triste condition de biche me force malgré moi de faire ce qu'elles font: je cours, je saute et je mange l'herbe comme elles. Dans ce temps-là, une chambre me serait insupportable.» Elle était si harassée de la chasse, qu'elle demanda promptement à manger; ensuite ses beaux yeux se fermèrent jusqu'au lever de l'aurore. Dès qu'elle l'aperçut, la métamorphose ordinaire se fit, et elle retourna dans la forêt.

Le prince, de son côté, était venu sur le soir rejoindre son favori. «J'ai passé le temps, lui dit-il, à courir après la plus belle biche que j'aie jamais vue; elle m'a trompé cent fois avec une adresse merveilleuse. J'ai tiré si juste, que je ne comprends point comment elle a évité mes coups. Aussitôt qu'il fera jour, j'irai la chercher encore, et ne la manquerai point.» En effet, ce jeune prince, qui voulait éloigner de son cœur une idée qu'il croyait chimérique, n'étant pas fâché que la passion de la chasse l'occupât, se rendit de bonne heure dans le même endroit où il avait trouvé la biche; mais elle se garda bien d'y aller, craignant une aventure semblable à celle qu'elle avait eue. Il jeta les yeux de tous côtés; il marcha longtemps, et comme il s'était échauffé, il fut ravi de trouver des pommes dont la couleur lui fit plaisir; il en cueillit, il en mangea, et presque aussitôt il s'endormit d'un profond sommeil. Il se jeta sur l'herbe fraîche, sous des arbres, où mille oiseaux semblaient s'être donné rendez-vous.

Dans le temps qu'il dormait, notre craintive biche, avide des lieux écartés, passa dans celui où il était. Si elle l'avait aperçu plus tôt, elle l'aurait fui; mais elle se trouva si proche de lui, qu'elle ne put s'empêcher de le regarder, et son assoupissement la rassura si bien, qu'elle se donna le loisir de considérer tous ses traits. O dieux! que devint-elle quand elle le reconnut? Son esprit était trop rempli de sa charmante idée pour l'avoir perdue en si peu de temps. Amour, amour, que veux-tu donc? faut-il que Bichette s'expose à perdre la vie par les mains de son amant? Oui, elle s'y expose, il n'y a plus moyen de songer à sa sûreté. Elle se coucha à quelques pas de lui, et ses yeux ravis de le voir ne pouvaient s'en détourner un moment; elle soupirait, poussait de petits gémissements. Enfin, plus hardie, elle s'approcha encore davantage; elle le touchait lorsqu'il s'éveilla.

Sa surprise parut extrême, il reconnut la même biche qui lui avait donné tant d'exercice et qu'il avait cherchée longtemps; mais la trouver si familière lui paraissait une chose rare. Elle n'attendit pas qu'il eût essayé de la prendre: elle s'enfuit de toute sa force, et il la suivit de toute la sienne. De temps en temps ils s'arrêtaient pour reprendre haleine, car la belle biche était encore lasse d'avoir couru la veille et le prince ne l'était pas moins qu'elle; mais ce qui ralentissait le plus la fuite de Bichette, hélas! faut-il le dire? c'était la peine de s'éloigner de celui qui l'avait plus blessée par son mérite que par les traits qu'il tirait sur elle. Il la voyait très souvent qui tournait la tête sur lui, comme pour lui demander s'il voulait qu'elle pérît sous ses coups, et lorsqu'il était sur le point de la joindre, elle faisait de nouveaux efforts pour se sauver. «Ah! si tu pouvais m'entendre, petite biche, lui criait-il, tu ne m'éviterais pas; je t'aime, je te veux nourrir; tu es charmante, j'aurai soin de toi.» L'air emportait ses paroles: elles n'allaient point jusqu'à elle.

Enfin, après avoir fait tout le tour de la forêt, notre biche, ne pouvant plus courir, ralentit ses pas, et le prince, redoublant les siens, la joignit avec une joie dont il ne croyait plus être capable. Il vit bien qu'elle avait perdu toutes ses forces; elle était couchée comme une pauvre petite bête demi-morte, et elle n'attendait que de voir finir sa vie par les mains de son vainqueur; mais au lieu de lui être cruel, il se mit à la caresser. «Belle biche, lui dit-il, n'aie point de peur, je veux t'emmener avec moi, et que tu me suives partout.» Il coupa exprès des branches d'arbre, il les plia adroitement, il les couvrit de mousse, il y jeta des roses dont quelques buissons étaient chargés; ensuite il prit la biche entre ses bras, il appuya sa tête sur son cou, et vint la coucher doucement sur ces ramées; puis il s'assit auprès d'elle, cherchant de temps en temps des herbes fines, qu'il lui présentait, et qu'elle mangeait dans sa main.

Le prince continuait de lui parler, quoiqu'il fût persuadé qu'elle ne l'entendait pas. Cependant, quelque plaisir qu'elle eût de le voir, elle s'inquiétait, parce que la nuit s'approchait. «Que serait-ce, disait-elle en elle-même, s'il me voyait changer tout d'un coup de forme? il serait effrayé et me fuirait, ou, s'il ne me fuyait pas, que n'aurais-je pas à craindre ainsi seule dans une forêt?» Elle ne faisait que penser de quelle manière elle pourrait se sauver, lorsqu'il lui en fournit le moyen: car, ayant peur qu'elle n'eût besoin de boire, il alla voir où il pourrait trouver quelque ruisseau, afin de l'y conduire. Pendant qu'il cherchait, elle se déroba promptement, et vint à la maisonnette où Giroflée l'attendait. Elle se jeta encore sur son lit; la nuit vint, sa métamorphose cessa; elle lui apprit son aventure.

«Le croirais-tu, ma chère, lui dit-elle, mon prince Guerrier est dans cette forêt; c'est lui qui m'a chassée depuis deux jours, et qui m'ayant prise m'a fait mille caresses. Ah! que le portrait qu'on m'en apporta est peu fidèle! il est cent fois mieux fait; tout le désordre où l'on voit les chasseurs ne dérobe rien à sa bonne mine et lui conserve des agréments que je ne saurais t'exprimer. Ne suis-je pas bien malheureuse d'être obligée de fuir ce prince, lui qui m'est destiné par mes plus proches, lui qui m'aime et que j'aime? Il faut qu'une méchante fée me prenne en aversion le jour de ma naissance, et trouble tous ceux de ma vie.» Elle se prit à pleurer. Giroflée la consola, et lui fit espérer que dans quelque temps ses peines seraient changées en plaisirs.

Le prince revint vers sa chère biche, dès qu'il eut trouvé une fontaine; mais elle n'était plus au lieu où il l'avait laissée. Il la chercha inutilement partout, et sentit autant de chagrin contre elle que si elle avait dû avoir de la raison. «Quoi! s'écria-t-il, je n'aurai donc jamais que des sujets de me plaindre de ce sexe trompeur et infidèle!» Il retourna chez la bonne vieille, plein de mélancolie. Il conta à son confident l'aventure de Bichette, et l'accusa d'ingratitude. Becafigue ne put s'empêcher de sourire de la colère du prince; il lui conseilla de punir la biche quand il la rencontrerait. «Je ne reste plus ici que pour cela, répondit le prince; ensuite nous partirons pour aller plus loin.»

Le jour revint, et, avec lui, la princesse reprit sa figure de biche blanche. Elle ne savait à quoi se résoudre, ou d'aller dans les mêmes lieux que le prince parcourait ordinairement, ou de prendre une route tout opposée pour l'éviter. Elle choisit ce dernier parti, et s'éloigna beaucoup; mais le jeune prince, qui était aussi fin qu'elle, en usa tout de même, croyant bien qu'elle aurait cette petite ruse; de sorte qu'il la découvrit dans le plus épais de la forêt. Elle s'y trouvait en sûreté lorsqu'elle l'aperçut; aussitôt elle bondit, elle saute par-dessus les buissons, et, comme si elle l'eût appréhendé davantage, à cause du tour qu'elle lui avait fait le soir, elle fuit plus légère que les vents; mais, dans le moment qu'elle traversait un sentier, il la mire si bien, qu'il lui enfonce une flèche dans la jambe. Elle sentit une douleur violente, et, n'ayant plus assez de force pour fuir, elle se laissa tomber.

Amour cruel et barbare, où étais-tu donc? Quoi! tu laisses blesser une fille incomparable par son tendre amant! Cette triste catastrophe était inévitable, car la fée de la Fontaine y avait attaché la fin de l'aventure. Le prince s'approcha. Il eut un sensible regret de voir couler le sang de la biche: il prit des herbes, il les lia sur sa jambe pour la soulager, et lui fit un nouveau lit de ramée. Il tenait la tête de Bichette appuyée sur ses genoux. «N'es-tu pas cause, petite volage, lui disait-il, de ce qui t'est arrivé? Que t'avais-je fait hier pour m'abandonner? Il n'en sera pas aujourd'hui de même, je t'emporterai.» La biche ne répondit rien; qu'aurait-elle dit? elle avait tort et ne pouvait parler; car ce n'est pas toujours une conséquence que ceux qui ont tort se taisent. Le prince lui faisait mille caresses. «Que je souffre de t'avoir blessée, lui disait-il. Tu me haïras, et je veux que tu m'aimes.» Il semblait, à l'entendre, qu'un secret génie lui inspirait tout ce qu'il disait à Bichette. Enfin l'heure de revenir chez sa vieille hôtesse approchait; il se chargea de sa chasse, et n'était pas médiocrement embarrassé à la porter, à la mener et quelquefois à la traîner. Elle n'avait aucune envie d'aller avec lui. «Qu'est-ce que je vais devenir! disait-elle. Quoi, je me trouverai toute seule avec ce prince! Ah! mourons plutôt!» Elle faisait la pesante et l'accablait; il était tout en eau de tant de fatigue, et quoiqu'il n'y eût pas loin pour se rendre à la petite maison, il sentait bien que sans quelque secours, il n'y pourrait arriver. Il alla quérir son fidèle Becafigue; mais, avant que de quitter sa proie, il l'attacha avec plusieurs rubans au pied d'un arbre, dans la crainte qu'elle ne s'enfuît.

Hélas! qui aurait pu penser que la plus belle princesse du monde serait un jour traitée ainsi par un prince qui l'adorait? Elle essaya inutilement d'arracher les rubans, ses efforts les nouèrent plus serrés, et elle était prête de s'étrangler avec un nœud coulant qu'il avait malheureusement fait, lorsque Giroflée, lasse d'être toujours enfermée dans sa chambre, sortit pour prendre l'air et passa dans le lieu où était la biche blanche, qui se débattait. Que devint-elle quand elle aperçut sa chère maîtresse! Elle ne pouvait se hâter assez de la défaire; les rubans étaient noués par différents endroits; enfin le prince arriva avec Becafigue comme elle allait emmener la biche.

« Quelque respect que j'aie pour vous, madame, lui dit le prince, permettez-moi de m'opposer au larcin que vous voulez me faire; j'ai blessé cette biche, elle est à moi, je l'aime, je vous supplie de m'en laisser le maître. — Seigneur, répliqua civilement Giroflée (car elle était bien faite et gracieuse), la biche que voici est à moi avant que d'être à vous; je renoncerais aussitôt à ma vie qu'à elle; et si vous voulez voir comme elle me connaît, je ne vous demande que de lui donner un peu de liberté… Allons, ma petite Blanche, dit-elle, embrassez-moi. » Bichette se jeta à son cou. «Baisez-moi la joue droite.» Elle obéit. «Touchez mon cœur.» Elle y porta le pied. «Soupirez.» Elle soupira. Il ne fut plus permis au prince de douter de ce que Giroflée lui disait. «Je vous la rends, lui dit-il honnêtement; mais j'avoue que ce n'est pas sans chagrin.» Elle s'en alla aussitôt avec sa biche.

Elles ignoraient que le prince demeurait dans leur maison; il les suivit d'assez loin et demeura surpris de les voir entrer chez la vieille bonne femme. Il s'y rendit fort peu après elles; et, poussé d'un mouvement de curiosité dont Biche-Blanche était cause, il lui demanda qui était cette jeune personne. Elle répliqua qu'elle ne la connaissait pas; qu'elle l'avait reçue chez elle avec sa biche; qu'elle la payait bien, et qu'elle vivait dans une grande solitude. Becafigue s'informa en quel lieu était sa chambre; elle lui dit que c'était si proche de la sienne qu'elle n'était séparée que par une cloison.

Lorsque le prince fut retiré, son confident lui dit qu'il était le plus trompé des hommes ou que cette fille avait demeuré avec la princesse Désirée; qu'il l'avait vue au palais quand il y était allé en ambassade. « Quel funeste souvenir me rappelez-vous? lui dit le prince, et par quel hasard serait-elle ici? — C'est ce que j'ignore, seigneur, ajouta Becafigue; mais j'ai envie de la voir encore, et puisqu'une simple menuiserie nous sépare, j'y vais faire un trou. — Voilà une curiosité bien inutile », dit le prince tristement; car les paroles de Becafigue avaient renouvelé toutes ses douleurs. En effet, il ouvrit sa fenêtre qui regardait dans la forêt, et se mit à rêver.

Cependant Becafigue travaillait, et il eut bientôt fait un assez grand trou pour voir la charmante princesse vêtue d'une robe de brocart d'argent, mêlé de quelques fleurs incarnates brodées d'or avec des émeraudes; ses cheveux tombaient par grosses boucles sur la plus belle gorge du monde; son teint brillait des plus vives couleurs et ses yeux ravissaient. Giroflée était à genoux devant elle qui lui bandait le bras, dont le sang coulait avec abondance. Elles paraissaient toutes deux assez embarrassées de cette blessure. «Laisse-moi mourir! disait la princesse; la mort me sera plus douce que la déplorable vie que je mène. Quoi! être biche tout le jour! voir celui à qui je suis destinée sans lui parler, sans lui apprendre ma fatale aventure! Hélas! si tu savais tout ce qu'il m'a dit de touchant sous ma métamorphose, quel ton de voix il a, quelles manières nobles et engageantes, tu me plaindrais encore plus que tu ne fais de n'être point en état de l'éclaircir de ma destinée.»

L'on peut assez juger de l'étonnement de Becafigue par tout ce qu'il venait de voir et d'entendre; il courut vers le prince, il l'arracha de la fenêtre avec des transports de joie inexprimable. «Ah! seigneur! lui dit-il, ne différez pas de vous approcher de cette cloison, vous verrez le véritable original du portrait qui vous a charmé.» Le prince regarda et reconnut aussitôt sa princesse. Il serait mort de plaisir s'il n'eût craint d'être déçu par quelque enchantement: car enfin comment accommoder une rencontre si surprenante avec Longue-Épine et sa mère, qui étaient renfermées dans le château des Trois-Pointes, et qui prenaient le nom, l'une de Désirée et l'autre de sa dame d'honneur?

Cependant sa passion le flattait. L'on a un penchant naturel à se persuader ce que l'on souhaite, et, dans une telle occasion, il fallait mourir d'impatience ou s'éclaircir. Il alla, sans différer, frapper doucement à la porte de la chambre où était la princesse. Giroflée, ne doutant pas que ce ne fût la bonne vieille et ayant même besion de son secours pour lui aider à bander le bras de sa maîtresse, se hâta d'ouvrir, et demeura bien surprise de voir le prince, qui vint se jeter aux pieds de Désirée. Les transports qui l'animaient lui permirent si peu de faire un discours suivi, que, quelque soin que j'aie eu de m'informer de ce qu'il lui dit dans ces premiers moments, je n'ai trouvé personne qui m'en ait bien éclairci. La princesse ne s'embarrassa pas moins dans ses réponses; mais l'Amour, qui sert souvent d'interprète aux muets, se mit en tiers et persuada à l'un et à l'autre qu'il ne s'était jamais rien dit de plus spirituel; au moins ne s'était-il jamais rien dit de plus touchant et de plus tendre. Les larmes, les soupirs, les serments, et même quelques souris gracieux, tout en fut. La nuit se passa ainsi, le jour parut sans que Désirée y eût fait aucune réflexion, et elle ne devint plus biche. Elle s'en aperçut: rien ne fut égal à sa joie: le prince lui était trop cher pour différer de la partager avec lui. Au même moment, elle commença le récit de son histoire, qu'elle fit avec une grâce et une éloquence naturelle qui surpassait celle des plus habiles.

«Quoi! s'écria-t-il, ma charmante princesse, c'est vous que j'ai blessée sous la forme d'une biche blanche! Que ferai-je pour expier un si grand crime? Suffira-t-il d'en mourir de douleur à vos yeux?» Il était tellement affligé, que son déplaisir se voyait peint sur son visage. Désirée en souffrit plus que de sa blessure; elle l'assura que ce n'était presque rien, et qu'elle ne pouvait s'empêcher d'aimer un mal qui lui procurait tant de bien.

La manière dont elle lui parla était si obligeante, qu'il ne put douter de ses bontés. Pour l'éclaircir à son tour de toutes choses, il lui raconta la supercherie que Longue-Épine et sa mère avaient faite, ajoutant qu'il fallait se hâter d'envoyer dire au roi son père le bonheur qu'il avait eu de la trouver, parce qu'il allait faire une terrible guerre, pour tirer raison de l'affront qu'il croyait avoir reçu. Désirée le pria d'écrire par Becafigue; il voulait lui obéir, lorsqu'un bruit perçant de trompettes, clairons, timbales et tambours, se répandit dans la forêt; il leur sembla même qu'ils entendaient passer beaucoup de monde proche de la petite maison. Le prince regarda par la fenêtre, il reconnut plusieurs officiers, ses drapeaux et ses guidons; il leur commanda de s'arrêter et de l'attendre.

Jamais surprise n'a été plus agréable que celle de cette armée; chacun était persuadé que leur prince allait la conduire, et tirer vengeance du père de Désirée. Le père du prince les menait lui-même, malgré son grand âge. Il venait dans une litière de velours en broderie d'or; elle était suivie d'un chariot découvert: Longue-Épine y était avec sa mère. Le prince Guerrier, ayant vu la litière, y courut, et le roi, lui tendant les bras, l'embrassa avec mille témoignages d'un amour paternel. «Et d'où venez-vous, mon cher fils? s'écria-t-il. Est-il possible que vous m'ayez livré à la douleur que votre absence me cause? — Seigneur, dit le prince, daignez m'écouter.» Le roi aussitôt descendit de sa litière, et, se retirant dans un lieu écarté, son fils lui apprit l'heureuse rencontre qu'il avait faite, et la fourberie de Longue-Épine.

Le roi, ravi de cette aventure, leva les mains et les yeux au ciel pour lui en rendre grâce. Dans ce moment, il vit paraître la princesse Désirée, plus belle et plus brillante que tous les astres ensemble. Elle montait un superbe cheval, qui n'allait que par courbettes; cent plumes de différentes couleurs paraient sa tête, et les plus gros diamants du monde avaient été mis à son habit. Elle était vêtue en chasseur. Giroflée, qui la suivait, n'était guère moins parée qu'elle. C'était là des effets de la protection de Tulipe; elle avait tout conduit avec soin et avec succès. La jolie maison du bois fut faite en faveur de la princesse, et, sous la figure d'une vieille, elle l'avait régalée pendant plusieurs jours.

Dès que le prince reconnut ses troupes et qu'il alla trouver le roi son père, elle entra dans la chambre de Désirée; elle souffla sur son bras pour guérir sa blessure; elle lui donna ensuite les riches habits sous lesquels elle parut aux yeux du roi, qui demeura si charmé, qu'il avait bien de la peine à la croire une personne mortelle. Il lui dit tout ce qu'on peut imaginer de plus obligeant dans une semblable occasion, et la conjura de ne point différer à ses sujets le plaisir de l'avoir pour reine: «Car je suis résolu, continua-t-il, de céder mon royaume au prince Guerrier, afin de le rendre plus digne de vous. » Désirée lui répondit avec toute la politesse qu'on devait attendre d'une personne si bien élevée; puis, jetant les yeux sur les deux prisonnières qui étaient dans le chariot et qui se cachaient le visage de leurs mains, elle eut la générosité de demander leur grâce, et que le même chariot, où elles étaient, servît à les conduire où elles voudraient aller. Le roi consentit à ce qu'elle souhaitait, ce ne fut pas sans admirer son bon cœur et sans lui donner de grandes louanges.

On ordonna que l'armée retournerait sur ses pas. Le prince monta à cheval pour accompagner sa belle princesse. On les reçut dans la ville capitale avec mille cris de joie; l'on prépara tout pour le jour des noces, qui devint très solennel par la présence des six bénignes fées qui aimaient la princesse. Elles lui firent les plus riches présents qui se soient jamais imaginés; entre autres ce magnifique palais, où la reine les avait été voir, parut tout d'un coup en l'air, porté par cinquante mille amours, qui le posèrent dans une belle plaine au bord de la rivière. Après un tel don, il ne s'en pouvait plus faire de considérables.

Le fidèle Becafigue pria son maître de parler à Giroflée et de l'unir avec elle lorsqu'il épouserait la princesse. Il le voulut bien. Cette aimable fille fut très aise de trouver un établissement si avantageux en arrivant dans un royaume étranger. La fée Tulipe, qui était encore plus libérale que ses sœurs, lui donna quatre mines d'or dans les Indes, afin que son mari n'eût pas l'avantage de se dire plus riche qu'elle. Les noces du prince durèrent plusieurs mois; chaque jour fournissait un fête nouvelle, et les aventures de Biche-Blanche ont été chantées par tout le monde.

> *La princesse, trop empressée*
> *De sortir de ces sombres lieux*
> *Où voulait une sage fée*
> *Lui cacher la clarté des cieux,*
> *Ses malheurs, sa métamorphose,*
> *Font assez voir en quel danger*
> *Une jeune beauté s'expose*
> *Quand trop tôt dans le monde elle ose s'engager!*
> *O vous, à qui l'amour, d'une main libérale,*
> *A donné des attraits capables de toucher,*
> *La beauté souvent est fatale,*
> *Vous ne sauriez trop la cacher.*
> *Vous croyez toujours vous défendre,*
> *En vous faisant aimer, de ressentir l'amour:*
> *Mais sachez qu'à son tour,*
> *A force d'en donner, on peut souvent en prendre.*

# LA CHATTE BLANCHE

Il était une fois un roi qui avait trois fils bien faits et courageux; il eut peur que l'envie de régner ne leur prît avant sa mort; il courait même certains bruits qu'ils cherchaient à s'acquérir des créatures, et que c'était pour lui ôter son royaume. Le roi se sentait vieux, mais son esprit et sa capacité n'ayant point diminué, il n'avait pas envie de leur céder une place qu'il remplissait si dignement; il pensa donc que le meilleur moyen de vivre en repos, c'était de les amuser par des promesses dont il saurait toujours éluder l'effet.

Il les appela dans son cabinet, et après leur avoir parlé avec beaucoup de bonté, il ajouta: «Vous conviendrez avec moi, mes chers enfants, que mon grand âge ne permet pas que je m'applique aux affaires de mon état avec autant de soin que je le faisais autrefois: je crains que mes sujets n'en souffrent, je veux mettre ma couronne sur la tête d'un de vous autres; mais il est bien juste que, pour un tel présent, vous cherchiez les moyens de me plaire, dans le dessein que j'ai de me retirer à la campagne. Il me semble qu'un petit chien adroit, joli et fidèle me tiendrait bonne compagnie; de sorte que sans choisir mon fils aîné, plutôt que mon cadet, je vous déclare que celui des trois qui m'apportera le plus beau petit chien, sera aussitôt mon héritier.» Ces princes demeurèrent surpris de l'inclination de leur père pour un petit chien, mais les deux cadets y pouvaient trouver leur compte, et ils acceptèrent avec plaisir la commission d'aller en chercher un; l'aîné était trop timide ou trop respectueux pour représenter ses droits. Ils prirent congé du roi, il leur donna de l'argent et des pierreries, ajoutant que dans un an sans y manquer ils revinssent, au même jour et à la même heure, lui apporter leurs petits chiens.

Avant de partir, ils allèrent dans un château qui n'était qu'à une lieue de la ville. Ils y menèrent leurs plus confidents, et firent de grands festins, où les trois frères se promirent une amitié éternelle, qu'ils agiraient dans l'affaire en question sans jalousie et sans chagrin, et que le plus heureux ferait toujours part de sa fortune aux autres; enfin ils partirent, réglant qu'ils se trouveraient à leur retour dans le même château, pour aller ensemble chez le roi; ils ne voulurent être suivis de personne, et changèrent leurs noms pour n'être pas connus.

Chacun prit une route différente: les deux aînés eurent beaucoup d'aventures; mais je ne m'attache qu'à celles du cadet. Il était gracieux, il avait l'esprit gai et réjouissant, la tête admirable, la taille noble, les traits réguliers, de belles dents, beaucoup d'adresse dans tous les exercices qui conviennent à un prince. Il chantait agréablement, il touchait le luth et le théorbe, avec une délicatesse qui charmait. Il savait peindre; en un mot, il était très accompli; et pour sa valeur, elle allait jusqu'à l'intrépidité.

Il n'y avait guère de jours qu'il n'achetât des chiens, de grands, de petits, des lévriers, des dogues, limiers, chiens de chasse, épagneuls, barbets, bichons; dès qu'il en avait un beau, et qu'il en trouvait un plus beau, il laissait aller le premier pour garder l'autre; car il aurait été impossible qu'il eût mené tout seul trente ou quarante mille chiens, et il ne voulait ni gentilshommes, ni valets de chambre, ni pages à sa suite. Il avançait toujours son chemin, n'ayant point déterminé jusqu'où il irait, lorsqu'il fut surpris de la nuit, du tonnerre et de la pluie dans une forêt, dont il ne pouvait plus reconnaître les sentiers.

Il prit le premier chemin, et après avoir marché longtemps, il aperçut un peu de lumière; ce qui lui persuada, qu'il y avait quelque maison proche où il se mettrait à l'abri jusqu'au lendemain. Ainsi guidé par la lumière qu'il voyait, il arriva à la porte d'un château, le plus superbe qui se soit jamais imaginé. Cette porte était d'or, couverte d'escarboucles, dont la lumière vive et pure éclairait tous les environs. C'était elle que le prince avait vue de fort loin; les murs étaient d'une porcelaine transparente, mêlée de plusieurs couleurs, qui représentaient l'histoire de toutes les fées, depuis la création du monde jusqu'alors; les fameuses aventures de Peau-d'Ane, de Finette, de l'Oranger, de Gracieuse, de la Belle au bois dormant, de Serpentin vert, et de cent autres, n'y étaient pas oubliées. Il fut charmé d'y reconnaître le prince Lutin, car c'était son oncle à la mode de Bretagne. La pluie et le mauvais temps l'empêchèrent de s'arrêter davantage dans un lieu où il se mouillait jusqu'aux os, outre qu'il ne voyait point du tout aux endroits où la lumière des escarboucles ne pouvait s'étendre.

Il revint à la porte d'or; il vit un pied de chevreuil attaché à une chaîne toute de diamants, il admira cette magnificence, et la sécurité avec laquelle on vivait dans le château. «Car enfin, disait-il, qui empêche les voleurs de venir couper cette chaîne, et d'arracher les escarboucles? ils se feraient riches pour toujours.»

Il tira le pied de chevreuil, et aussitôt il entendit sonner une cloche, qui lui parut d'or ou d'argent par le son qu'elle rendait; au bout d'un moment la porte fut ouverte, sans qu'il aperçût autre chose qu'une douzaine de mains en l'air, qui tenaient chacune un flambeau. Il demeura si surpris qu'il hésitait à avancer quand il sentit d'autres mains qui le poussaient par derrière avec assez de violence. Il marcha donc fort inquiet, et à tout hasard, il porta la main sur la garde de son épée; mais en entrant dans un vestibule tout incrusté de porphyre et de lapis, il entendit deux voix ravissantes qui chantèrent ces paroles:

*Des mains que vous voyez ne prenez point d'ombrage,*
*Et ne craignez, en ce séjour,*
*Que les charmes d'un beau visage,*
*Si votre cœur veut fuir l'amour.*

Il ne put croire qu'on l'invitât de si bonne grâce, pour lui faire ensuite du mal; de sorte que se sentant poussé vers une grande porte de corail, qui s'ouvrit dès qu'il s'en fut approché, il entra dans un salon de nacre de perles, et ensuite dans plusieurs chambres ornées différemment, et si riches par les peintures et les pierreries, qu'il en était comme enchanté. Mille et mille lumières attachées depuis la voûte du salon jusqu'en bas, éclairaient une partie des autres appartements, qui ne laissaient pas d'être remplis de lustres, de girandoles, et de gradins couverts de bougies; enfin la magnificence était telle, qu'il n'était pas aisé de croire que ce fût une chose possible.

Après avoir passé dans soixante chambres, les mains qui le conduisaient l'arrêtèrent; il vit un grand fauteuil de commodité, qui s'approcha tout seul de la cheminée. En même temps le feu s'alluma, et les mains qui lui semblaient fort belles, blanches, petites, grassettes et bien proportionnées, le déshabillèrent, car il était mouillé comme je l'ai déjà dit, et l'on avait peur qu'il ne s'enrhumât. On lui présenta, sans qu'il vît personne, une chemise aussi belle que pour un jour de noces, avec une robe de chambre d'une étoffe glacée d'or, brodée de petites émeraudes qui formaient des chiffres. Les mains sans corps approchèrent de lui une table, sur laquelle sa toilette fut mise. Rien n'était plus magnifique; elles le peignèrent avec une légèreté et une adresse dont il fut fort content. Ensuite on le rhabilla, mais ce ne fut pas avec ses habits, on lui en apporta de beaucoup plus riches. Il admirait silencieusement tout ce qui se passait, et quelquefois il lui prenait de petits mouvements de frayeur, dont il n'était pas tout à fait le maître.

Après qu'on l'eut poudré, frisé, parfumé, paré, ajusté, et rendu plus beau qu'Adonis, les mains le conduisirent dans une salle superbe par ses dorures et ses meubles. On voyait autour l'histoire des plus fameux chats: Rodilardus pendu par les pieds au conseil des rats, Chat botté marquis de Carabas, le Chat qui écrit, la Chatte devenue femme, les sorciers devenus Chats, le sabbat et toutes ses cérémonies; enfin rien n'était plus singulier que ces tableaux.

Le couvert était mis; il y en avait deux, chacun garni de son cadenas d'or; le buffet surprenait par la quantité de vases de cristal de roche et de mille pierres rares. Le prince ne savait pour qui ces deux couverts étaient mis: lorsqu'il vit des chats qui se placèrent dans un petit orchestre, ménagé exprès, l'un tenait un livre avec des notes les plus extraordinaires du monde, l'autre un rouleau de papier dont il battait la mesure, et les autres avaient de petites guitares. Tout d'un coup chacun d'eux se mit à miauler sur différents tons, et à gratter les cordes des guitares avec leurs ongles; c'était la plus étrange musique que l'on eût jamais entendue. Le prince se serait cru en enfer, s'il n'avait pas trouvé ce palais trop merveilleux pour donner dans une pensée si peu vraisemblable; mais

170

il se bouchait les oreilles, et riait de toute sa force de voir les différentes postures et les grimaces de ces nouveaux musiciens.

Il rêvait aux différentes choses qui lui étaient déjà arrivées dans ce château, lorsqu'il vit entrer une petite figure qui n'avait pas une coudée de haut. Cette bamboche se couvrait d'un long voile de crêpe noir. Deux chats la menaient; ils étaient vêtus de deuil, en manteau, et l'épée au côté; un nombreux cortège de chats venait après; les uns portaient des ratières pleines de rats, et les autres des souris dans des cages.

Le prince ne sortait point d'étonnement; il ne savait que penser. La figurine noire s'approcha; et levant son voile, il aperçut la plus belle petite Chatte blanche qui ait jamais été et qui sera jamais. Elle avait l'air fort jeune et fort triste; elle se mit à faire un miaulis si doux et si charmant, qu'il allait droit au cœur; elle dit au prince: «Fils de roi, sois le bienvenu, ma miaularde majesté te voit avec plaisir. — Madame la Chatte, dit le prince, vous êtes bien généreuse de me recevoir avec tant d'accueil, mais vous ne me paraissez pas une bestiole ordinaire; le don que vous avez de la parole, et le superbe château que vous possédez, en sont des preuves assez évidentes. — Fils de roi, reprit Chatte Blanche, je te prie, cesse de me faire des compliments, je suis simple dans mes discours et dans mes manières, mais j'ai un bon cœur. Allons, continua-t-elle, que l'on serve, et que les musiciens se taisent, car le prince n'entend pas ce qu'ils disent. — Et, disent-ils quelque chose, madame? reprit-il. — Sans doute, continua-t-elle; nous avons ici des poètes qui ont infiniment d'esprit, et si vous restez un peu parmi nous, vous aurez lieu d'en être convaincu. — Il ne faut que vous entendre pour le croire, dit galamment le prince; mais aussi, madame, je vous regarde comme une chatte fort rare.»

L'on apporta le souper, les mains dont les corps étaient invisibles servaient. L'on mit d'abord sur la table deux bisques, l'une de pigeonneaux, et l'autre de souris fort grasses. La vue de l'une empêcha le prince de manger de l'autre, se figurant que le même cuisinier les avait accommodées: mais la petite chatte, qui devina par la mine qu'il faisait ce qu'il avait dans l'esprit, l'assura que sa cuisine était à part, et qu'il pouvait manger de ce qu'on lui présenterait, avec certitude qu'il n'y aurait ni rats ni souris.

Le prince ne se le fit pas dire deux fois, croyant bien que la belle petite Chatte ne voudrait pas le tromper. Il remarqua qu'elle avait à sa patte un portrait fait en table; cela le surprit. Il la pria de le lui montrer, croyant que c'était maître Minagrobis. Il fut bien étonné de voir un jeune homme si beau, qu'il était à peine croyable que la nature en pût former un tel, et qui lui ressemblait si fort qu'on n'aurait pu le peindre mieux. Elle soupira, et devenant encore plus triste, elle garda un profond silence. Le prince vit bien qu'il y avait quelque chose d'extraordinaire là-dessous; cependant il n'osa s'en informer de peur de déplaire à la Chatte, ou de la chagriner. Il l'entretint de toutes les nouvelles qu'il savait, et il la trouva fort instruite des différents intérêts des princes, et des autres choses qui se passaient dans le monde.

Après le souper, Chatte Blanche convia son hôte d'entrer dans un salon où il y avait un théâtre, sur lequel douze chats et douze singes dansèrent un ballet. Les uns étaient vêtus en Maures, et les autres en Chinois. Il est aisé de juger des sauts et des cabrioles qu'ils faisaient, et de temps en temps ils se donnaient des coups de griffes; c'est ainsi que la soirée finit. Chatte Blanche donna le bonsoir à son hôte; les mains qui l'avaient conduit jusque-là, le reprirent et le menèrent dans un appartement tout opposé à celui qu'il avait vu. Il était moins magnifique que galant; tout était tapissé d'ailes de papillons, dont les diverses couleurs formaient mille fleurs différentes. Il y avait aussi des plumes d'oiseaux très rares, et qui n'ont peut-être jamais été vues que dans ce lieu-là. Les lits étaient de gaze, rattachés par mille nœuds de rubans. C'était de grandes glaces depuis le plafond jusqu'au parquet, et les bordures d'or ciselé représentaient mille petits Amours.

Le prince se coucha sans dire mot, car il n'y avait pas moyen de faire la conversation avec les mains qui le servaient; il dormit peu, et fut réveillé par un bruit confus. Les mains aussitôt le tirèrent de son lit, et lui mirent un habit de chasse. Il regarda dans la cour du château, il aperçut plus de cinq cents chats, dont les uns menaient des lévriers en laisse, les autres sonnaient du cor; c'était une grande fête. Chatte Blanche allait à la chasse; elle voulait que le prince y vînt. Les officieuses mains lui présentèrent un cheval de bois qui courait à toute bride, et qui allait le pas à merveille; il fit quelque difficulté d'y monter, disant qu'il s'en fallait beaucoup qu'il ne fût chevalier errant comme don Quichotte: mais sa résistance ne servit de rien, on le planta sur le cheval de bois. Il avait une housse et une selle en broderie d'or et de diamants. Chatte Blanche montait un singe, le plus beau et le plus superbe qui se soit encore vu; elle avait quitté son grand voile, et portait un bonnet à la dragonne, qui lui donnait un air si résolu, que toutes les souris du voisinage en avaient peur. Il ne s'était jamais fait une chasse plus agréable; les chats couraient plus vite que les lapins et les lièvres; de sorte que lorsqu'ils en prenaient, Chatte Blanche faisait faire la curée devant elle, et il s'y passait mille tours d'adresse très réjouissants; les oiseaux n'étaient pas de leur côté trop en sûreté, car les chatons grimpaient aux arbres, et le maître singe portait Chatte Blanche jusque dans les nids des aigles, pour disposer à sa volonté des petites altesses aiglonnes.

La chasse étant finie, elle prit un cor qui était long comme le doigt, mais qui rendait un son si clair et si haut, qu'on l'entendait aisément de dix lieues: dès qu'elle eut sonné deux ou trois fanfares, elle fut environnée de tous les chats du pays, les uns paraissaient en l'air, montés sur des chariots, les autres dans des barques abordaient par eau, enfin il ne s'en est jamais tant vu. Ils étaient presque tous habillés de différentes manières; elle retourna au château avec ce pompeux cortège, et pria le prince d'y venir. Il le voulut bien, quoiqu'il lui semblât que tant de chatonnerie tenait un peu du sabbat et du sorcier, et que la chatte parlante l'étonnât plus que tout le reste.

Dès qu'elle fut rentrée chez elle, on lui mit son grand voile noir; elle soupa avec le prince, il avait faim, et mangea de bon appétit; l'on apporta des liqueurs dont il but avec plaisir, et sur-le-champ elles lui ôtèrent le souvenir du petit chien qu'il devait porter au roi. Il ne pensa plus qu'à miauler avec Chatte Blanche, c'est-à-dire à lui tenir bonne et fidèle compagnie; il passait les jours en fêtes agréables, tantôt à la pêche ou à la chasse, puis l'on faisait des ballets, des carrousels, et mille autres choses où il se divertissait très bien; souvent même la belle Chatte composait des vers et des chansonnettes d'un style si passionné qu'il semblait qu'elle avait le cœur tendre, et que l'on ne pouvait parler comme elle faisait sans aimer; mais son secrétaire qui était un vieux chat, écrivait si mal, qu'encore que ses ouvrages aient été conservés, il est impossible de les lire.

Le prince avait oublié jusqu'à son pays. Les mains dont j'ai parlé continuaient de la servir. Il regrettait quelquefois de n'être pas chat, pour passer sa vie dans cette bonne compagnie. «Hélas! disait-il à Chatte Blanche, que j'aurai de douleur de vous quitter; je vous aime si chèrement! ou devenez fille, ou rendez-moi chat.» Elle trouvait son souhait fort plaisant, et ne lui faisait que des réponses obscures, où il ne comprenait presque rien.

Une année s'écoule bien vite quand on n'a ni souci ni peine, qu'on se réjouit et qu'on se porte bien. Chatte Blanche savait le temps où il devait retourner; et comme il n'y pensait plus, elle l'en fit souvenir. «Sais-tu, dit-elle, que tu n'as que trois jours pour chercher le petit chien que le roi ton père souhaite, et que tes frères en ont trouvé de fort beaux?» Le prince revint à lui, et s'étonnant de sa négligence: «Par quel charme secret, s'écria-t-il, ai-je oublié la chose du monde qui m'est la plus importante? Il y va de ma gloire et de ma fortune; où prendrai-je un chien tel qu'il le faut pour gagner un royaume, et un cheval assez diligent pour faire tant de chemin?» Il commença de s'inquiéter, et s'affligea beaucoup.

Chatte Blanche lui dit, en s'adoucissant: «Fils de roi, ne te chagrine point, je suis de tes amies; tu peux rester encore ici un jour, et quoiqu'il y ait cinq cents lieues d'ici à ton pays, le bon cheval de bois t'y portera en moins de douze heures. — Je vous remercie, belle Chatte, dit le prince; mais il ne me suffit pas de retourner vers mon père, il faut que je lui porte un petit chien. — Tiens, lui dit

Chatte Blanche, voici un gland où il y en a un plus beau que la Canicule. — Oh, dit le prince, madame la Chatte, votre majesté se moque de moi. — Approche le gland de ton oreille, continua-t-elle, et tu l'entendras japper.» Il obéit: aussitôt le petit chien fit jap, jap, dont le prince demeura transporté de joie, car tel chien qui tient dans un gland doit être fort petit. Il voulait l'ouvrir, tant il avait envie de le voir: mais Chatte Blanche lui dit qu'il pourrait avoir froid par les chemins, et qu'il valait mieux attendre qu'il fût devant le roi son père. Il la remercia mille fois, et lui dit un adieu très tendre: «Je vous assure, ajouta-t-il, que les jours m'ont paru si courts avec vous, que je regrette en quelque façon de vous laisser ici, et quoique vous y soyez souveraine, et que tous les chats qui vous font la cour aient plus d'esprit et de galanterie que les nôtres, je ne laisse pas de vous convier de venir avec moi.» La chatte ne répondit à cette proposition que par un profond soupir.

Ils se quittèrent, le prince arriva le premier au château où le rendez-vous avait été réglé avec ses frères. Ils s'y rendirent peu après, et demeurèrent surpris de voir dans la cour un cheval de bois qui sautait mieux que tous ceux que l'on a dans les académies.

Le prince vint au-devant d'eux. Ils l'embrassèrent plusieurs fois, et se rendirent compte de leurs voyages; mais notre prince déguisa à ses frères la vérité de ses aventures, et leur montra un méchant chien, qui servait à tourner la broche, disant qu'il l'avait trouvé si joli, que c'était celui qu'il apportait au roi. Quelque amitié qui fût entre eux, les deux aînés sentirent une secrète joie du mauvais choix de leur cadet; ils étaient à table, et se marchaient sur le pied, comme pour se dire qu'ils n'avaient rien à craindre de ce côté-là.

Le lendemain ils partirent ensemble dans un même carrosse. Les deux fils aînés du roi avaient de petits chiens dans des paniers, si beaux et si délicats, que l'on osait à peine les toucher. Le cadet portait le pauvre tournebroche, qui était si crotté, que personne ne pouvait le souffrir. Lorsqu'ils furent dans le palais, chacun les environna pour leur souhaiter la bienvenue; ils entrèrent dans l'appartement du roi. Il ne savait en faveur duquel décider, car les petits chiens qui lui étaient présentés par ses deux aînés étaient presque d'une égale beauté, et ils se disputaient déjà l'avantage de la succession, lorsque leur cadet les mit d'accord en tirant de sa poche le gland que Chatte Blanche lui avait donné. Il l'ouvrit promptement, puis chacun vit un petit chien couché sur du coton. Il passait au milieu d'une bague sans y toucher. Le prince le mit par terre, aussitôt il commença de danser la sarabande avec des castagnettes, aussi légèrement que la plus célèbre espagnole. Il était de mille couleurs différentes, ses soies et ses oreilles traînaient par terre. Le roi demeura fort confus; car il était impossible de trouver rien à redire à la beauté du toutou.

Cependant il n'avait aucune envie de se défaire de sa couronne. Le plus petit fleuron lui était plus cher que tous les chiens de l'univers. Il dit donc à ses enfants qu'il était satisfait de leurs peines; mais qu'ils avaient si bien réussi dans la première chose qu'il avait souhaité d'eux, qu'il voulait encore éprouver leur habileté avant de tenir parole; qu'ainsi il leur donnait un an à chercher par terre et par mer, une pièce de toile si fine qu'elle passât par le trou d'une aiguille à faire du point de Venise. Ils demeurèrent tous trois très affligés d'être en obligation de retourner à une nouvelle quête. Les deux princes, dont les chiens étaient moins beaux que celui de leur cadet, y consentirent. Chacun partit de son côté, sans se faire autant d'amitié que la première fois, car le tournebroche les avait un peu refroidis.

Notre prince reprit son cheval de bois; et sans vouloir chercher d'autres secours que ceux qu'il pourrait espérer de l'amitié de Chatte Blanche, il partit en toute diligence, et retourna au château où elle l'avait si bien reçu. Il en trouva toutes les portes ouvertes; les fenêtres, les toits, les tours et les murs étaient bien éclairés de cent mille lampes, qui faisaient un effet merveilleux. Les mains qui l'avaient si bien servi, s'avancèrent au-devant de lui, prirent la bride de l'excellent cheval de bois, qu'elles menèrent à l'écurie, pendant que le prince entra dans la chambre de Chatte Blanche.

Elle était couchée dans une petite corbeille, sur un matelas de satin blanc très propre. Elle avait des cornettes négligées, et paraissait abattue; mais quand elle aperçut le prince, elle fit mille sauts et autant de gambades, pour lui témoigner la joie qu'elle avait. «Quelque sujet que j'eusse, lui dit-elle, d'espérer ton retour, je t'avoue, fils de roi, que je n'osais m'en flatter, et je suis ordinairement si malheureuse dans les choses que je souhaite, que celle-ci me surprend.» Le prince reconnaissant, lui fit mille caresses; il lui conta le succès de son voyage, qu'elle savait peut-être mieux que lui, et que le roi voulait une pièce de toile qui pût passer par le trou d'une aiguille; qu'à la vérité, il croyait la chose impossible, mais qu'il n'avait pas laissé de la tenter, se promettant tout de son amitié et de son secours. Chatte Blanche prenant un air plus sérieux, lui dit que c'était une affaire à laquelle il fallait penser, que par bonheur elle avait dans son château des chattes qui filaient fort bien, qu'elle-même y mettrait la griffe, et qu'elle avancerait cette besogne; qu'ainsi il pouvait demeurer tranquille, sans aller bien loin chercher ce qu'il trouverait plus aisément chez elle qu'en aucun lieu du monde.

Les mains parurent, elles portaient des flambeaux; et le prince les suivant avec Chatte Blanche, entra dans une magnifique galerie qui régnait le long d'une grande rivière sur laquelle on tira un grand feu d'artifice surprenant. L'on y devait brûler quatre chats, dont le procès était fait dans toutes les formes. Ils étaient accusés d'avoir mangé le rôti du souper de la Chatte Blanche, son fromage, son lait, d'avoir même conspiré contre sa personne avec Martafax et Lhermite, fameux rats de la contrée, et tenus pour tels par La Fontaine, auteur très véritable: mais avec tout cela, l'on savait qu'il y avait beaucoup de cabale dans cette affaire, et que la plupart des témoins étaient subornés. Quoi qu'il en soit, le prince obtint leur grâce. Le feu d'artifice ne fit mal à personne, et l'on n'a encore jamais vu de si belles fusées.

L'on servit ensuite un médianoche très propre, qui causa plus de plaisir au prince que le feu, car il avait grand faim, et son cheval de bois l'avait mené si vite, qu'il n'a jamais été de diligence pareille. Les jours suivants se passèrent comme ceux qui les avaient précédés, avec mille fêtes différentes, dont l'ingénieuse Chatte Blanche régalait son hôte. C'est peut-être le premier mortel qui se soit si bien diverti avec des chats, sans avoir d'autre compagnie.

Il est vrai que Chatte Blanche avait l'esprit agréable, liant, et presque universel. Elle était plus savante qu'il n'est permis à une chatte de l'être. Le prince s'en étonnait quelquefois: «Non, lui disait-il, ce n'est point une chose naturelle que tout ce que je remarque de merveilleux en vous: si vous m'aimez, charmante Minette, apprenez-moi par quel prodige vous pensez et vous parlez si juste qu'on pourrait vous recevoir dans les académies fameuses des plus beaux esprits? — Cesse tes questions, fils de roi, lui disait-elle, il ne m'est pas permis d'y répondre, et tu peux pousser tes conjectures aussi loin que tu voudras, sans que je m'y oppose; qu'il te suffise que j'aie toujours pour toi patte de velours, et que je m'intéresse tendrement dans tout ce qui te regarde.»

Insensiblement cette seconde année s'écoula comme la première, le prince ne souhaitait guère de choses que les mains diligentes ne lui apportassent sur-le-champ, soit des livres, des pierreries, des tableaux, des médailles antiques; enfin, il n'avait qu'à dire: je veux un tel bijou, qui est dans le cabinet du Mogol ou du roi de Perse, telle statue de Corinthe ou de la Grèce, il voyait aussitôt devant lui ce qu'il désirait, sans savoir ni qui l'avait apporté, ni d'où il venait. Cela ne laisse pas d'avoir ses agréments; et pour se délasser, l'on est quelquefois bien aise de se voir maître des plus beaux trésors de la terre.

Chatte Blanche, qui veillait toujours aux intérêts du prince, l'avertit que le temps de son départ approchait, qu'il pouvait se tranquilliser sur la pièce de toile qu'il désirait, et qu'elle lui en avait fait une merveilleuse; elle ajouta qu'elle voulait cette fois-ci lui donner un équipage digne de sa naissance, et sans attendre sa réponse, elle l'obligea de regarder dans la grande cour du château. Il y avait une calèche découverte, d'or émaillé de couleur de feu, avec mille devises galantes, qui satisfaisaient autant l'esprit que les yeux. Douze chevaux blancs comme la neige, attachés quatre à quatre de front, la traînaient, chargés de harnais de ve-

lours couleur de feu en broderie de diamants, et garnis de plaques d'or. La dou-
blure de la calèche était pareille, et cent carrosses à huit chevaux, tous remplis
de seigneurs de grande apparence, très superbement vêtus, suivaient cette calèche. Elle était encore accompagnée par mille gardes du corps, dont les habits
étaient si couverts de broderie, que l'on n'apercevait point l'étoffe; ce qui était
singulier, c'est qu'on voyait partout le portrait de Chatte Blanche, soit dans les
devises de la calèche, ou sur les habits des gardes du corps, ou rattaché avec un
ruban au justaucorps de ceux qui faisaient le cortège, comme un ordre nouveau
dont elle les avait honorés.

«Va, dit-elle au prince, va paraître à la cour du roi ton père, d'une manière si
somptueuse, que tes airs magnifiques servent à lui en imposer, afin qu'il ne te
refuse plus la couronne que tu mérites. Voilà une noix, garde-toi de la casser qu'en
sa présence, tu y trouveras la pièce de toile que tu m'as demandée. — Aimable
Blanchette, lui dit-il, je vous avoue que je suis si pénétré de vos bontés, que si
vous y vouliez consentir, je préférerais de passer ma vie avec vous à toutes les
grandeurs que j'ai lieu de me promettre ailleurs. — Fils de roi, répliqua-t-elle, je
suis persuadée de la bonté de ton cœur, c'est une marchandise rare parmi les
princes, ils veulent être aimés de tout le monde, et ne veulent rien aimer; mais tu
montres assez que la règle générale a son exception. Je te tiens compte de l'at-
tachement que tu témoignes pour une petite Chatte Blanche, qui dans le fond
n'est propre à rien qu'à prendre des souris.» Le prince lui baisa la patte, et
partit.

L'on aurait de la peine à croire la diligence qu'il fit, si l'on ne savait déjà de
quelle manière le cheval de bois l'avait porté, en moins de deux jours, à plus de
cinq cents lieues du château; de sorte que le même pouvoir qui anima celui-là,
pressa si fort les autres, qu'ils ne restèrent que vingt-quatre heures sur le chemin;
ils ne s'arrêtèrent en aucun endroit, jusqu'à ce qu'ils fussent arrivés chez le roi, où
les deux frères aînés du prince s'étaient déjà rendus; de sorte que ne voyant point
paraître leur cadet, ils s'applaudissaient de sa négligence, et se disaient tout bas
l'un à l'autre: «Voilà qui est bien heureux, il est mort ou malade, il ne sera point
notre rival dans l'affaire importante qui va se traiter.» Aussitôt ils déployèrent
leurs toiles, qui à la vérité étaient si fines, qu'elles passaient par le trou d'une
grosse aiguille, mais pour passer dans une petite, cela ne se pouvait; et le roi,
très aise de ce prétexte de dispute, leur montra l'aiguille qu'il avait proposée, et
que les magistrats, par son ordre, apportèrent du trésor de la ville, où elle avait
été soigneusement enfermée.

Il y avait beaucoup de murmure sur cette dispute. Les amis des princes, et
particulièrement ceux de l'aîné, car c'était sa toile qui était la plus belle, disaient
que c'était là une franche chicane, où il entrait beaucoup d'adresse et de norma-

nisme. Les créatures du roi soutenaient qu'il n'était point obligé de tenir des conditions qu'il n'avait pas proposées; enfin, pour les mettre tous d'accord, l'on entendit un bruit charmant de trompettes, de timbales et de hautbois, c'était notre prince qui arrivait en pompeux appareil. Le roi et ses deux fils demeurèrent aussi étonnés les uns que les autres d'une si grande magnificence.

Après qu'il eut salué respectueusement son père, embrassé ses frères, il tira d'une boîte couverte de rubis la noix qu'il cassa; il croyait y trouver la pièce de toile tant vantée; mais il y avait au lieu une noisette. Il la cassa encore, et demeura surpris de voir un noyau de cerise. Chacun se regardait, le roi riait tout doucement, et se moquait que son fils eût été assez crédule pour croire apporter dans une noix une pièce de toile: mais pourquoi ne l'aurait-il pas cru, puisqu'il avait déjà donné un petit chien qui tenait dans un gland? Il cassa donc le noyau de cerise, qui était rempli de son amande; alors il s'éleva un grand bruit dans la chambre, l'on n'entendait autre chose, sinon: le prince cadet est la dupe de l'aventure. Il ne répondit rien aux mauvaises plaisanteries des courtisans; il ouvre l'amande, et trouve un grain de blé, puis dans le grain de blé un grain de millet. Ho! c'est la vérité qu'il commença à se défier, et marmotta entre ses dents: «Chatte Blanche, Chatte Blanche, tu t'es moquée de moi.» Il sentit dans ce moment la griffe d'un chat sur sa main, dont il fut si bien égratigné, qu'il saignait. Il ne savait si cette griffade était faite pour lui donner du cœur ou lui faire perdre courage. Cependant il ouvrit le grain de millet, et l'étonnement de tout le monde ne fut pas petit quand il en tira une pièce de toile de quatre cents aunes, si merveilleuse, que tous les oiseaux, les animaux et les poissons y étaient peints avec les arbres, les fruits et les plantes de la terre, les rochers, les raretés et les coquillages de la mer, le soleil, la lune, les étoiles, les astres et les planètes des cieux: il y avait encore le portrait des rois et autres souverains qui régnaient pour lors dans le monde; celui de leurs femmes, de leurs maîtresses, de leurs enfants et de tous leurs sujets, sans que le plus petit polisson y fût oublié. Chacun dans son état faisait le personnage qui lui convenait, et vêtu à la mode de son pays. Lorsque le roi vit cette pièce de toile, il devint aussi pâle que le prince était devenu rouge de la chercher si longtemps. L'on présenta l'aiguille, et elle y passa et repassa six fois. Le roi et les deux princes aînés gardaient un morne silence, quoique la beauté et la rareté de cette toile les forçât de temps en temps de dire que tout ce qui était dans l'univers ne lui était pas comparable.

Le roi poussa un profond soupir, et se tournant vers ses enfants: «Rien ne peut, leur dit-il, me donner tant de consolation dans ma vieillesse que de reconnaître votre déférence pour moi, je souhaite donc que vous vous mettiez à une nouvelle épreuve. Allez encore voyager un an, et celui qui au bout de l'année ramènera la

178

plus belle fille, l'épousera, et sera couronné roi à son mariage; c'est aussi bien une nécessité que mon successeur se marie. Je jure, je promets que je ne différerai plus à donner la récompense que j'ai promise.»

Toute l'injustice roulait sur notre prince. Le petit chien et la pièce de toile méritaient dix royaumes plutôt qu'un; mais il était si bien né qu'il ne voulut point contrarier la volonté de son père; et sans différer il remonta dans sa calèche: tout son équipage le suivit, et il retourna auprès de sa chère Chatte Blanche; elle savait le jour et le moment qu'il devait arriver, tout était jonché de fleurs sur le chemin, mille cassolettes fumaient de tous côtés, et particulièrement dans le château. Elle était assise sur un tapis de Perse, et sous un pavillon de drap d'or dans une galerie où elle pouvait le voir revenir. Il fut reçu par les mains qui l'avaient toujours servi. Tous les chats grimpèrent sur les gouttières, pour le féliciter par un miaulage désespéré.

«Hé bien, fils de roi, lui dit-elle, te voilà donc encore revenu sans couronne? — Madame, répliqua-t-il, vos bontés m'avaient mis en état de la gagner: mais je suis persuadé que le roi aurait plus de peine à s'en défaire que je n'aurais de plaisir à la posséder. — N'importe, dit-elle, il ne faut rien négliger pour la mériter, je te servirai dans cette occasion; et puisqu'il faut que tu mènes une belle fille à la cour de ton père, je t'en chercherai quelqu'une qui te fera gagner le prix; cependant réjouissons-nous, j'ai ordonné un combat naval entre mes chats et les terribles rats de la contrée. Mes chats seront peut-être embarrassés, car ils craignent l'eau; mais aussi ils auraient trop d'avantage, et il faut, autant qu'on le peut, égaliser toutes choses.» Le prince admira la prudence de madame Minette. Il la loua beaucoup, et fut avec elle sur une terrasse qui donnait vers la mer.

Les vaisseaux des chats consistaient en de grands morceaux de liège, sur lesquels ils voguaient assez commodément. Les rats avaient joint plusieurs coques d'œufs, et c'étaient là leurs navires. Le combat s'opiniâtra cruellement; les rats se jetaient dans l'eau, et nageaient bien mieux que les chats; de sorte que vingt fois ils furent vainqueurs et vaincus; mais Minagrobis, amiral de la flotte chatonique, réduisit la gent ratonienne dans le dernier désespoir. Il mangea à belles dents le général de leur flotte. C'était un vieux rat expérimenté, qui avait fait trois fois le tour du monde dans de bons vaisseaux, où il n'était ni capitaine, ni matelot, mais seulement croque-lardon.

Chatte Blanche ne voulut pas qu'on détruisît absolument ces pauvres infortunés. Elle avait de la politique, et songeait que s'il n'y avait plus ni rats ni souris dans le pays, ses sujets vivraient dans une oisiveté qui pourrait lui devenir préjudiciable. Le prince passa cette année comme il avait fait des autres, c'est-à-dire à la chasse, à la pêche, au jeu, car Chatte Blanche jouait fort bien aux échecs. Il ne pouvait s'empêcher de temps en temps de lui faire de nouvelles questions, pour savoir par quel miracle elle parlait. Il lui demandait si elle était fée, ou si par une métamorphose on l'avait rendue chatte; mais comme elle ne disait jamais que ce qu'elle voulait bien dire, elle ne répondait aussi que ce qu'elle voulait bien répondre, et c'était tant de petits mots qui ne signifiaient rien, qu'il jugea aisément qu'elle ne voulait pas partager son secret avec lui.

Rien ne s'écoule plus vite que des jours qui se passent sans peine et sans chagrin, et si la Chatte n'avait pas été soigneuse de se souvenir du temps qu'il fallait retourner à la cour, il est certain que le prince l'aurait absolument oublié. Elle l'avertit la veille qu'il ne tiendrait qu'à lui d'emmener une des plus belles princesses qui fût dans le monde, que l'heure de détruire le fatal ouvrage des fées était à la fin arrivée, et qu'il fallait pour cela qu'il se résolût à lui couper la tête et la queue, qu'il jetterait promptement dans le feu. «Moi, s'écria-t-il, Blanchette! mes amours! moi, dis-je, je serais assez barbare pour vous tuer? Ah! vous voulez sans doute éprouver mon cœur, mais soyez certaine qu'il n'est point capable de manquer à l'amitié et à la reconnaissance qu'il vous doit. — Non, fils de roi, continua-t-elle, je ne te soupçonne d'aucune ingratitude; je connais ton mérite, ce n'est ni toi ni moi qui réglons dans cette affaire notre destinée. Fais ce que je souhaite, nous commencerons l'un et l'autre d'être heureux, et tu connaîtras, foi de Chatte de bien et d'honneur, que je suis véritablement ton amie.»

Les larmes vinrent deux ou trois fois aux yeux du jeune prince, de la seule pensée qu'il fallait couper la tête à sa petite chatonne qui était si jolie et si gracieuse. Il dit encore tout ce qu'il put imaginer de plus tendre pour qu'elle l'en dispensât, elle répondait opiniâtrement qu'elle voulait mourir de sa main; et que c'était l'unique moyen d'empêcher que ses frères n'eussent la couronne; en un mot, elle le pressa avec tant d'ardeur, qu'il tira son épée en tremblant, et d'une main mal assurée, il coupa la tête et la queue de sa bonne amie la Chatte: en même temps il vit la plus charmante métamorphose qui se puisse imaginer. Le corps de Chatte Blanche devint grand, et se changea tout d'un coup en fille; c'est ce qui ne saurait être décrit, il n'y a eu que celle-là d'aussi accomplie. Ses yeux ravissaient les cœurs, et sa douceur les retenait: sa taille était majestueuse, l'air noble et modeste, un esprit liant, des manières engageantes; enfin, elle était au-dessus de tout ce qu'il y a de plus aimable.

Le prince en la voyant, demeura si surpris, et d'une surprise si agréable, qu'il se crut enchanté. Il ne pouvait parler, ses yeux n'étaient pas assez grands pour la regarder, et sa langue liée ne pouvait expliquer son étonnement; mais ce fut bien autre chose, lorsqu'il vit entrer un nombre extraordinaire de dames et de seigneurs, qui tenant tous leur peau de chatte ou de chat jetée sur leurs épaules, vinrent se prosterner aux pieds de la reine, et lui témoigner leur joie de la revoir dans son état naturel. Elle les reçut avec des témoignages de bonté qui marquaient assez le caractère de son cœur. Et après avoir tenu son cercle quelques moments, elle ordonna qu'on la laissât seule avec le prince, et elle lui parla ainsi:

» Ne pensez pas, seigneur, que j'aie toujours été chatte, ni que ma naissance soit obscure parmi les hommes. Mon père était roi de six royaumes. Il aimait tendrement ma mère, et la laissait dans une entière liberté de faire tout ce qu'elle voulait. Son inclination dominante était de voyager; de sorte qu'étant grosse de moi, elle entreprit d'aller voir une certaine montagne, dont elle avait entendu dire des choses surprenantes. Comme elle était en chemin, on lui dit qu'il y avait proche du lieu où elle passait, un ancien château de fées, le plus beau du monde, tout au moins qu'on le croyait tel par une tradition qui en était restée; car d'ailleurs comme personne n'y entrait, on n'en pouvait juger; mais qu'on savait très sûrement que ces fées avaient dans leur jardin les meilleurs fruits, les plus savoureux et délicats qui se fussent jamais mangés.

» Aussitôt la reine ma mère eut une envie si violente d'en manger, qu'elle y tourna ses pas. Elle arriva à la porte de ce superbe édifice, qui brillait d'or et d'azur de tous les côtés; mais elle y frappa inutilement: qui que ce soit ne parut, il semblait que tout le monde y était mort; son envie augmentant par les difficultés, elle envoya quérir des échelles, afin que l'on pût passer par-dessus les murs du jardin, et l'on en serait venu à bout, si ces murs ne se fussent haussés à vue d'œil, bien que personne n'y travaillât; l'on attachait des échelles les unes aux autres, elles rompaient sous le poids de ceux qu'on y faisait monter, et ils s'estropiaient ou se tuaient.

» La reine se désespérait. Elle voyait de grands arbres chargés de fruits qu'elle croyait délicieux, elle en voulait manger ou mourir; de sorte qu'elle fit tendre des tentes fort riches devant le château, et elle y resta six semaines avec toute sa cour. Elle ne dormait ni ne mangeait, elle soupirait sans cesse, elle ne parlait que des fruits du jardin inaccessible; enfin elle tomba dangereusement malade, sans que qui que ce soit pût apporter le moindre remède à son mal, car les inexorables fées n'avaient pas même paru depuis qu'elle s'était établie proche de leur château. Tous ses officiers s'affligeaient extraordinairement: l'on n'entendait que des pleurs et des soupirs, pendant que la reine mourante demandait des fruits à ceux qui la servaient; mais elle n'en voulait point d'autres que ceux qu'on lui refusait.

» Une nuit qu'elle s'était un peu assoupie, elle vit en se réveillant une petite vieille, laide et décrépite, assise dans un fauteuil au chevet de son lit. Elle était surprise que ses femmes eussent laissé approcher si près d'elle une inconnue, lorsqu'elle lui dit: «Nous trouvons ta majesté bien importune de vouloir avec tant «d'opiniâtreté manger de nos fruits; mais puisqu'il y va de ta précieuse vie, mes

«sœurs et moi consentons à t'en donner tant que tu pourras en emporter, et tant
«que tu resteras ici, pourvu que tu nous fasses un don. — Ah! ma bonne mère,
«s'écria la reine, parlez, je vous donne mes royaumes, mon cœur, mon âme, pourvu
«que j'aie des fruits, je ne saurais les acheter trop cher. — Nous voulons, dit-elle,
«que ta majesté nous donne la fille que tu portes dans ton sein; dès qu'elle sera
«née, nous la viendrons quérir; elle sera nourrie parmi nous, il n'y a point de
«vertus, de beautés, de sciences, dont nous ne la douions: en un mot, ce sera notre
«enfant, nous la rendrons heureuse. Mais observe que ta majesté ne la reverra plus
«qu'elle ne soit mariée. Si la proposition t'agrée, je vais tout à l'heure te guérir
«et te mener dans nos vergers; malgré la nuit, tu verras assez clair pour choisir
«ce que tu voudras. Si ce que je te dis ne te plaît pas, bonsoir, madame la reine,
«je vais dormir. — Quelque dure que soit la loi que vous m'imposez, répondit
«la reine, je l'accepte, plutôt que de mourir; car il est certain que je n'ai pas un
«jour à vivre, ainsi je perdrais mon enfant en me perdant. Guérissez-moi, savan-
«te fée, continua-t-elle, et ne me laissez pas un moment sans jouir du privilège
«que vous venez de m'accorder.»

»La fée la toucha avec une petite baguette d'or, en disant: «Que ta majesté
«soit quitte de tous les maux qui la retiennent dans ce lit.» Il lui sembla aussitôt
qu'on lui ôtait une robe fort pesante et fort dure, dont elle se sentait comme accablée, et qu'il y avait des endroits où elle tenait davantage. C'était apparemment ceux où le mal était le plus grand. Elle fit appeler toutes ses dames et leur
dit avec un visage gai, qu'elle se portait à merveille, qu'elle allait se lever, et
qu'enfin ces portes si bien verrouillées et si bien barricadées du palais de féerie
lui seraient ouvertes pour manger de beaux fruits, et pour en emporter tant qu'il
lui plairait.

»Il n'y eut aucune de ses dames qui ne crût la reine en délire, et que dans ce
moment elle rêvait à ces fruits qu'elle avait tant souhaités; de sorte qu'au lieu de
lui répondre, elles se prirent à pleurer, et firent éveiller tous les médecins pour
voir en quel état elle était. Ce retardement désespérait la reine; elle demandait
promptement ses habits, on les lui refusait; elle se mettait en colère et devenait
fort rouge. L'on disait que c'était l'effet de sa fièvre; cependant les médecins étant
entrés, après lui avoir touché le pouls, et fait leurs cérémonies ordinaires, ne purent nier qu'elle fût dans une parfaite santé. Ses femmes qui virent la faute que
le zèle leur avait fait commettre, tâchèrent de la réparer en l'habillant promptement. Chacun lui demanda pardon, tout fut apaisé, et elle se hâta de suivre la
vieille fée qui l'avait toujours attendue.

»Elle entra dans le palais où rien ne pouvait être ajouté pour en faire le plus
beau lieu du monde; vous le croirez aisément, seigneur, ajouta la reine Chatte
Blanche, quand je vous aurai dit que c'est celui où nous sommes; deux autres fées

un peu moins vieilles que celle qui conduisait ma mère les reçurent à la porte et lui firent un accueil très favorable. Elle les pria de la mener promptement dans le jardin, et vers les espaliers où elle trouverait les meilleurs fruits. «Ils sont tous «également bons, lui dirent-elles, et si ce n'était que tu veux avoir le plaisir de «des cueillir toi-même, nous n'aurions qu'à les appeler pour les faire venir ici. — «Je vous supplie, mesdames, dit la reine, que j'aie la satisfaction de voir une «chose si extraordinaire.» La plus vieille mit ses doigts dans sa bouche, et siffla «trois fois: puis elle cria: «Abricots, pêches, pavies, brugnons, cerises, prunes, «poires, bigarreaux, melons, muscats, pommes, oranges, citrons, groseilles, frai-«ses, framboises, accourez à ma voix. — Mais, dit la reine, tout ce que vous venez «d'appeler vient en différentes saisons. — Cela n'est pas ainsi dans nos vergers, «dirent-elles, nous avons de tous les fruits qui sont sur la terre, toujours mûrs, «toujours bons, et qui ne se gâtent jamais.»

»En même temps ils arrivèrent roulants, rampants, pêle-mêle, sans se gâter ni se salir; de sorte que la reine, impatiente de satisfaire son envie, se jeta dessus, et prit les premiers qui s'offrirent sous ses mains; elles les dévora plutôt qu'elle ne les mangea.

»Après s'en être un peu rassasiée, elle pria les fées de la laisser aller aux espaliers, pour avoir le plaisir de les choisir de l'œil avant que de les cueillir: «Nous «y consentons volontiers, dirent les trois fées; mais souviens-toi de la promesse «que tu nous as faite, il ne te sera plus permis de t'en dédire. — Je suis persua-«dée, répliqua-t-elle, que l'on est si bien avec vous, et ce palais me semble si beau, «que si je n'aimais pas chèrement le roi mon mari, je m'offrirais d'y demeurer «aussi; c'est pourquoi vous ne devez point craindre que je rétracte ma parole.» Les fées, très contentes, lui ouvrirent tous leurs jardins, et tous leurs enclos; elle y resta trois jours et trois nuits sans en vouloir sortir, tant elle les trouvait délicieux. Elle cueillit des fruits pour sa provision; et comme ils ne se gâtent jamais, elle en fit charger quatre mille mulets qu'elle emmena. Les fées ajoutèrent à leurs fruits des corbeilles d'or, d'un travail exquis, pour les mettre, et plusieurs raretés dont le prix est excessif; elles lui promirent de m'élever en princesse, de me rendre parfaite, et de me choisir un époux; qu'elle serait avertie de la noce, et qu'elles espéraient bien qu'elle y viendrait.

»Le roi fut ravi du retour de la reine; toute la cour lui en témoigna sa joie; ce n'était que bals, mascarades, courses de bagues et festins, où les fruits de la reine étaient servis comme un régal délicieux. Le roi les mangeait préférablement à tout ce qu'on pouvait lui présenter. Il ne savait point le traité qu'elle avait fait avec les fées, et souvent il lui demandait en quel pays elle était allée pour rapporter de si bonnes choses; elle lui répondait qu'elles se trouvaient sur une montagne presque inaccessible; une autre fois qu'elles venaient dans des vallons, puis au milieu d'un jardin ou dans une grande forêt. Le roi demeurait surpris de tant de contrariétés. Il questionnait ceux qui l'avaient accompagnée; mais elle leur avait tant défendu de conter à personne son aventure, qu'ils n'osaient en parler. Enfin la reine inquiète de ce qu'elle avait promis aux fées, voyant approcher le temps de ses couches, tomba dans une mélancolie affreuse, elle soupirait à tout moment, et changeait à vue d'œil. Le roi s'inquiéta, il pressa la reine de lui déclarer le sujet de sa tristesse; et après des peines extrêmes, elle lui apprit tout ce qui s'était passé entre les fées et elle, et comme elle leur avait promis la fille qu'elle devait avoir. «Quoi! s'écria le roi, nous n'avons point d'enfants, «vous savez à quel point j'en désire, et pour manger deux ou trois pommes, vous «avez été capable de promettre votre fille? Il faut que vous n'ayez aucune amitié «pour moi.» Là-dessus il l'accabla de mille reproches, dont ma pauvre mère pensa mourir de douleur; mais il ne se contenta pas de cela, il la fit enfermer dans une tour, et mit des gardes de tous côtés pour empêcher qu'elle n'eût commerce avec qui que ce fût au monde, que les officiers qui la servaient, encore changea-t-il ceux qui avaient été avec elle au château des fées.

» La mauvaise intelligence du roi et de la reine jeta la cour dans une consternation infinie. Chacun quitta ses riches habits, pour en prendre de conformes à la douleur générale. Le roi, de son côté, paraissait inexorable, il ne voyait plus sa femme, et sitôt que je fus née, il me fit apporter dans son palais pour y être nourrie, pendant qu'elle restait prisonnière et fort malheureuse. Les fées n'ignoraient rien de ce qui se passait; elles s'en irritèrent, elles voulaient m'avoir, elles me regardaient comme leur bien, et que c'était leur faire un vol que de me retenir. Avant que de chercher une vengeance proportionnée à leur chagrin, elles envoyèrent une célèbre ambassade au roi, pour l'avertir de mettre la reine en liberté, et de lui rendre ses bonnes grâces, et pour le prier aussi de me donner à leurs ambassadeurs, afin d'être nourrie et élevée parmi elles. Les ambassadeurs étaient si petits et si contrefaits, car c'étaient des nains hideux, qu'ils n'eurent pas le don de persuader ce qu'ils voulaient au roi. Il les refusa rudement, et s'ils n'étaient partis en diligence, il leur serait peut-être arrivé pis.

» Quand les fées surent le procédé de mon père, elles s'indignèrent tout ce qu'on peut l'être; et après avoir envoyé dans ses six royaumes tous les maux qui pouvaient les désoler, elles lâchèrent un dragon épouvantable, qui remplissait de venin les endroits où il passait, qui mangeait les hommes et les enfants, et qui faisait mourir les arbres et les plantes du souffle de son haleine.

» Le roi se trouva dans la dernière désolation. Il consulta tous les sages de son royaume sur ce qu'il devait faire pour garantir ses sujets des malheurs dont il les voyait accablés. Ils lui conseillèrent d'envoyer chercher par tout le monde les meilleurs médecins et les plus excellents remèdes, et d'un autre côté, qu'il fallait promettre la vie aux criminels condamnés à la mort, qui voudraient combattre le dragon. Le roi assez satisfait de cet avis l'exécuta et n'en reçut aucune consolation, car la mortalité continuait, et personne n'allait contre le dragon qu'il n'en fût dévoré; de sorte qu'il eut recours à une fée dont il était protégé dès sa plus tendre jeunesse. Elle était fort vieille, et ne se levait presque plus; il alla chez elle, et lui fit mille reproches de souffrir que le destin le persécutât sans le secourir. «Comment voulez-vous que je fasse, lui dit-elle, vous avez «irrité mes sœurs; elles ont autant de pouvoir que moi, et rarement nous agis-«sons les unes contre les autres. Songez à les apaiser en leur donnant votre fille, «cette petite princesse leur appartient: vous avez mis la reine dans une étroite «prison; que vous a donc fait cette femme si aimable pour la traiter si mal? «Résolvez-vous de tenir la parole qu'elle a donnée; je vous assure que vous serez «comblé de biens.»

» Le roi mon père m'aimait chèrement; mais ne voyant point d'autre moyen de sauver ses royaumes, et de se délivrer du fatal dragon, il dit à son amie qu'il était résolu de la croire, qu'il voulait bien me donner aux fées, puisqu'elle assurait que je serais chérie et traitée en princesse de mon rang; qu'il ferait aussi revenir la reine, et qu'elle n'avait qu'à lui dire à qui il me confierait pour me porter au château de féerie. «Il faut, lui dit-elle, la porter dans son berceau sur «la montagne de fleurs, vous pourrez même rester aux environs pour être specta-«teur de la fête qui se passera.» Le roi lui dit que dans huit jours il irait avec la reine, qu'elle en avertît ses sœurs les fées, afin qu'elles fissent là-dessus ce qu'elles jugeraient à propos.

» Dès qu'il fut de retour au palais, il envoya quérir la reine avec autant de tendresse et de pompe qu'il l'avait fait mettre prisonnière avec colère et emportement. Elle était si abattue et si changée, qu'il aurait eu peine à la reconnaître, si son cœur ne l'avait pas assuré que c'était cette même personne qu'il avait tant chérie. Il la pria, les larmes aux yeux, d'oublier les déplaisirs qu'il venait de lui causer, l'assurant que ce seraient les derniers qu'elle éprouverait jamais avec lui. Elle répliqua qu'elle se les était attirés par l'imprudence qu'elle avait eue de promettre sa fille aux fées; et que si quelque chose la pouvait rendre excusable, c'était l'état où elle était; enfin il lui déclara qu'il voulait me remettre entre leurs mains. La reine à son tour combattit ce dessein. Il semblait que quelque fatalité s'en mêlait, et que je devais toujours être un sujet de discorde entre mon père et ma mère. Après qu'elle eut bien gémi et pleuré, sans rien obtenir de ce qu'elle souhaitait (car le roi en voyait trop les funestes conséquences, et nos sujets continuaient de mourir comme s'ils eussent été coupables des fautes de notre famille), elle consentit à tout ce qu'il désirait et l'on prépara tout pour la cérémonie.

187

» Je fus mise dans un berceau de nacre de perle, orné de tout ce que l'art peut faire imaginer de plus galant. Ce n'étaient que guirlandes de fleurs et festons qui pendaient autour, et les fleurs en étaient de pierreries, dont les différentes couleurs frappées par le soleil, réfléchissaient des rayons si brillants, qu'on ne pouvait les regarder. La magnificence de mon ajustement surpassait, s'il se peut, celle du berceau. Toutes les bandes de mon maillot étaient faites de grosses perles. Vingt-quatre princesses du sang me portaient sur une espèce de brancard fort léger; leurs parures n'avaient rien de commun, mais il ne leur fut pas permis de mettre d'autres couleurs que du blanc, par rapport à mon innocence. Toute la cour m'accompagna, chacun dans son rang.

» Pendant que l'on montait la montagne, on entendit une mélodieuse symphonie qui s'approchait. Enfin les fées parurent, au nombre de trente-six; elles avaient prié leurs bonnes amies de venir avec elles; chacune était assise dans une coquille de perle, plus grande que celle où Vénus était lorsqu'elle sortit de la mer; des chevaux marins qui n'allaient guère bien sur terre, les traînaient plus pompeuses que les premières reines de l'univers; mais d'ailleurs vieilles et laides avec excès. Elles portaient une branche d'olivier, pour signifier au roi que sa soumission trouvait grâce devant elles; et lorsqu'elles me tinrent, ce furent des caresses si extraordinaires, qu'il semblait qu'elles ne voulaient plus vivre que pour me rendre heureuse.

» Le dragon qui avait servi à les venger contre mon père, venait après elles, attaché avec des chaînes de diamants: elles me prirent entre leurs bras, me firent mille caresses, me douèrent de plusieurs avantages, et commencèrent ensuite le branle des fées. C'est une danse fort gaie; il n'est pas croyable combien ces vieilles dames sautèrent et gambadèrent. Puis le dragon qui avait mangé tant de personnes s'approcha en rampant. Les trois fées à qui ma mère m'avait promise, s'assirent dessus, mirent mon berceau au milieu d'elles, et frappant le dragon avec une baguette, il déploya aussitôt ses grandes ailes écaillées; plus fines que du crêpe, elles étaient mêlées de mille couleurs bizarres. Elles se rendirent ainsi au château. Ma mère me voyant en l'air, exposée sur ce furieux dragon, ne put s'empêcher de pousser de grands cris. Le roi la consola, par l'assurance que son amie lui avait donnée, qu'il ne m'arriverait aucun accident, et que l'on prendrait le même soin de moi que si j'étais restée dans son propre palais. Elle s'apaisa, bien qu'il lui fût très douloureux de me perdre pour si longtemps et d'en être la seule cause; car si elle n'avait pas voulu manger les fruits du jardin, je serais demeurée dans le royaume de mon père, et je n'aurais pas eu tous les déplaisirs qui me restent à vous raconter.

» Sachez donc, fils de roi, que mes gardiennes avaient bâti exprès une tour, dans laquelle on trouvait mille beaux appartements pour toutes les saisons de l'année, des meubles magnifiques, des livres agréables, mais il n'y avait point de porte, et il fallait toujours entrer par les fenêtres, qui étaient prodigieusement hautes. L'on trouvait un beau jardin sur la tour, orné de fleurs, de fontaines et de berceaux de verdure, qui garantissaient de la chaleur dans la plus ardente canicule. Ce fut en ce lieu que les fées m'élevèrent avec des soins qui surpassaient tout ce qu'elles avaient promis à la reine. Mes habits étaient des plus à la mode, et si magnifiques que si quelqu'un m'avait vue, l'on aurait cru que c'était le jour de mes noces. Elles m'apprenaient tout ce qui convenait à mon âge et à ma naissance: je ne leur donnais pas beaucoup de peine, car il n'y avait guère de choses que je ne comprisse avec une extrême facilité. Ma douceur leur était fort agréable, et comme je n'avais jamais rien vu qu'elles, je serais demeurée tranquille dans cette situation le reste de ma vie.

» Elles venaient toujours me voir, montées sur le furieux dragon dont j'ai parlé; elles ne m'entretenaient jamais ni du roi ni de la reine; elles me nommaient leur fille, et je croyais l'être. Personne au monde ne restait avec moi dans la tour, qu'un perroquet et un petit chien qu'elles m'avaient donnés pour me divertir, car ils étaient doués de raison, et parlaient à merveille.

» Un des côtés de la tour était bâti sur un chemin creux, plein d'ornières et d'arbres qui l'embarrassaient, de sorte que je n'y avais aperçu personne depuis qu'on m'avait enfermée. Mais un jour, comme j'étais à la fenêtre, causant avec mon perroquet et mon chien, j'entendis quelque bruit. Je regardai de tous côtés, et j'aperçus un jeune chevalier qui s'était arrêté pour écouter notre conversation. Je n'en avais jamais vu qu'en peinture. Je ne fus pas fâchée qu'une rencontre inespérée me fournît cette occasion; de sorte que ne me défiant point du danger qui est attaché à la satisfaction de voir un objet aimable, je m'avançai pour le regarder, et plus je le regardais, plus j'y prenais de plaisir. Il me fit une profonde révérence, il attacha ses yeux sur moi et me parut très en peine de quelle manière il pourrait m'entretenir; car ma fenêtre était fort haute, il craignait d'être entendu, et il savait bien que j'étais dans le château des fées.

» La nuit vint presque tout d'un coup, ou, pour parler plus juste, elle vint sans que nous nous en aperçussions. Il sonna deux ou trois fois du cor, et me réjouit de quelques fanfares, puis il partit sans que je pusse même distinguer de quel côté il allait tant l'obscurité était grande. Je restai très rêveuse; je ne sentis plus le même plaisir que j'avais toujours pris à causer avec mon perroquet et mon chien. Ils me disaient les plus jolies choses du monde, car des bêtes fées deviennent fort spirituelles, mais j'étais occupée et je ne savais point l'art de me contraindre. Perroquet le remarqua; il était fin, il ne témoigna rien de ce qui roulait dans sa tête.

» Je ne manquai pas de me lever avec le jour. Je courus à ma fenêtre; je demeurai agréablement surprise d'apercevoir au pied de la tour le jeune chevalier. Il avait des habits magnifiques; je me flattai que j'y avais un peu de part, et je ne me trompais point. Il me parla avec une espèce de trompette qui porte la voix, et par son secours il me dit qu'ayant été insensible jusqu'alors à toutes les beautés qu'il avait vues, il s'était senti tout d'un coup si vivement frappé de la mienne qu'il ne pouvait comprendre comment il se passerait sans mourir de me voir tous les jours de sa vie. Je demeurai très contente de son compliment, et très inquiète de n'oser y répondre; car il aurait fallu crier de toute ma force, et me mettre dans le risque d'être mieux entendue encore des fées que de lui. Je tenais quelques fleurs que je lui jetai, il les reçut comme une insigne faveur, de sorte qu'il les baisa plusieurs fois et me remercia. Il me demanda ensuite si je trouverais bon qu'il vînt tous les jours à la même heure sous mes fenêtres, et que si je le voulais bien, je lui jetasse quelque chose. J'avais une bague de turquoise que j'ôtai brusquement de mon doigt, et que je lui jetai avec beaucoup de précipitation, lui faisant signe de s'éloigner en diligence; c'est que j'entendais de l'autre côté la fée Violente qui montait sur son dragon pour m'apporter à déjeuner.

» La première chose qu'elle dit en entrant dans ma chambre, ce furent ces mots: «Je sens ici la voix d'un homme, cherche, dragon.» Oh! que devins-je! j'étais transie de peur qu'il ne passât par l'autre fenêtre, et qu'il ne suivît le chevalier pour lequel je m'intéressais déjà beaucoup. «En vérité, dis-je, ma bon-«ne maman (car la vieille fée voulait que je la nommasse ainsi), vous plaisantez, «quand vous dites que vous sentez la voix d'un homme. Est-ce que la voix sent «quelque chose? Et quand cela serait, quel est le mortel assez téméraire pour «hasarder de monter dans cette tour? — Ce que tu dis est vrai, ma fille, répon-«dit-elle, je suis ravie de te voir raisonner si joliment, et je conçois que c'est la «haine que j'ai pour tous les hommes qui me persuade quelquefois qu'ils ne sont «pas éloignés de moi.» Elle me donna mon déjeuner et ma quenouille. «Quand tu «auras mangé, ne manque pas de filer, car tu ne fis rien hier, me dit-elle, et mes «sœurs se fâcheront.» En effet, je m'étais si fort occupée de l'inconnu, qu'il m'avait été impossible de filer.

» Dès qu'elle fut partie, je jetai la quenouille d'un petit air mutin, et montai sur la terrasse pour découvrir de plus loin dans la campagne. J'avais une lunette d'approche excellente; rien ne bornait ma vue, je regardais de tous côtés, lorsque je découvris mon chevalier sur le haut d'une montagne. Il se reposait sous un riche pavillon d'étoffe d'or, et il était entouré d'une fort grosse cour. Je ne doutai point que ce ne fût le fils de quelque roi voisin du palais des fées. Comme je craignais que s'il revenait à la tour, il ne fût découvert par le terrible dragon, je vins prendre mon perroquet, et lui dis de voler jusqu'à cette montagne, qu'il

190

y trouverait celui qui m'avait parlé, et qu'il le priât de ma part de ne plus revenir, parce que j'appréhendais la vigilance de mes gardiennes, et qu'elles ne lui fissent un mauvais tour.

» Perroquet s'acquitta de sa commission en perroquet d'esprit. Chacun demeura surpris de le voir venir à tire-d'aile se percher sur l'épaule du prince et lui parler tout bas à l'oreille. Le prince ressentit de la joie et de la peine de cette ambassade. Le soin que je prenais flattait son cœur; mais les difficultés qui se rencontraient à me parler l'accablaient sans pouvoir le détourner du dessein qu'il avait formé de me plaire. Il fit cent questions à Perroquet, et Perroquet lui en fit cent à son tour, car il était naturellement curieux. Le roi le chargea d'une bague pour moi, à la place de ma turquoise; c'en était une aussi, mais beaucoup plus belle que la mienne: elle était taillée en cœur avec des diamants. «Il «est juste, ajouta-t-il, que je vous traite en ambassadeur: voilà mon portrait «que je vous donne, ne le montrez qu'à votre charmante maîtresse.» Il lui attacha sous son aile son portrait, et il apporta la bague dans son bec.

» J'attendais le retour de mon petit courrier vert avec une impatience que je n'avais point connue jusqu'alors. Il me dit que celui à qui je l'avais envoyé était un grand roi, qu'il l'avait reçu le mieux du monde et que je pouvais m'assurer qu'il ne voulait plus vivre que pour moi; qu'encore qu'il y eût beaucoup de péril à venir au bas de ma tour, il était résolu à tout, plutôt que de renoncer à me voir. Ces nouvelles m'intriguèrent fort, je me pris à pleurer. Perroquet et Toutou me consolèrent de leur mieux, car ils m'aimaient tendrement. Puis Perroquet me présenta la bague du prince, et me montra le portrait. J'avoue que je n'ai jamais été si aise que je le fus de pouvoir considérer de près celui que je n'avais vu que de loin. Il me parut encore plus aimable qu'il ne m'avait semblé. Il me vint cent pensées dans l'esprit, dont les unes agréables, et les autres tristes, me donnèrent un air d'inquiétude extraordinaire. Les fées qui vinrent me voir, s'en aperçurent. Elles se dirent l'une à l'autre que sans doute je m'ennuyais, et qu'il fallait songer à me trouver un époux de race fée. Elles parlèrent de plusieurs, et s'arrêtèrent sur le petit roi Migonnet, dont le royaume était à cinq cent mille lieues de leur palais; mais ce n'était pas là une affaire. Perroquet entendit ce beau conseil, il vint m'en rendre compte, et me dit: «Ah! que je vous plains, ma chère maîtresse, «si vous devenez la reine Migonnette! c'est un magot qui fait peur, j'ai regret de «vous le dire, mais en vérité le roi qui vous aime ne voudrait pas de lui pour «être son valet de pied. — Est-ce que tu l'as vu, Perroquet? — Je le crois vrai-«ment, continua-t-il, j'ai été élevé sur une branche avec lui. — Comment, sur «une branche? repris-je. — Oui, dit-il, c'est qu'il a les pieds d'un aigle.»

» Un tel récit m'affligea étrangement. Je regardais le charmant portrait du jeune roi, je pensais bien qu'il n'en avait régalé Perroquet que pour me donner

191

lieu de le voir; et quand j'en faisais la comparaison avec Migonnet, je n'espérais plus rien de ma vie, et je me résolvais plutôt à mourir, qu'à l'épouser.

» Je ne dormis point tant que la nuit dura. Perroquet et Toutou causèrent avec moi. Je m'endormis un peu sur le matin; et comme mon chien avait le nez bon, il sentit que le roi était au pied de la tour. Il éveilla Perroquet: «Je gage, «dit-il, que le roi est là-bas.» Perroquet répondit: «Tais-toi, babillard, parce «que tu as presque toujours les yeux ouverts et l'oreille alerte, tu es fâché du «repos des autres. — Mais gageons, dit encore le bon Toutou, je sais bien qu'il «y est.» Perroquet répliqua: «Et moi, je sais bien qu'il n'y est point; ne lui ai-je «pas défendu d'y venir, de la part de notre maîtresse? — Ah! vraiment, tu me «la donnes belle avec tes défenses, s'écria mon chien, un homme passionné ne «consulte que son cœur.» Et là-dessus il se mit à lui tirailler si fort les ailes, que Perroquet sa fâcha. Je m'éveillai aux cris de l'un et de l'autre. Ils me dirent ce qui en faisait le sujet, je courus, ou plutôt je volai à ma fenêtre. Je vis le roi qui me tendait les bras et qui me dit avec sa trompette qu'il ne pouvait plus vivre sans moi, qu'il me conjurait de trouver les moyens de sortir de ma tour ou de l'y faire entrer; qu'il attestait tous les dieux et tous les éléments qu'il m'épouserait aussitôt, et que je serais une des plus grandes reines de l'univers.

» Je commandai à Perroquet de lui aller dire que ce qu'il souhaitait me semblait presque impossible; que cependant sur la parole qu'il me donnait et les serments qu'il avait faits, j'allais m'appliquer à ce qu'il désirait; que je le conjurais de ne pas venir tous les jours, qu'enfin l'on pourrait s'en apercevoir, et qu'il n'y aurait point de quartier avec les fées.

» Il se retira comblé de joie par l'espérance dont je le flattais; et je me trouvai dans le plus grand embarras du monde lorsque je fis réflexion à ce que je venais de promettre. Comment sortir de cette tour où il n'y avait point de portes, et n'avoir pour tout secours que Perroquet et Toutou? Etre si jeune, si peu expérimentée, si craintive! Je pris donc la résolution de ne point tenter une chose où je ne réussirais jamais, et l'envoyai dire au roi par Perroquet. Il voulut se tuer à ses yeux; mais enfin il le chargea de me persuader, ou de le venir voir mourir, ou de le soulager. «Sire, s'écria l'ambassadeur emplumé, ma maîtresse est suffisamment persuadée, elle ne manque que de pouvoir.»

» Quand il me rendit compte de tout ce qui s'était passé, je m'affligeai plus que je l'eusse encore fait. La fée Violente vint, elle me trouva les yeux enflés et rouges; elle dit que j'avais pleuré, et que si je ne lui en avouais le sujet, elle me brûlerait, car toutes ses menaces étaient toujours terribles. Je répondis, en tremblant, que j'étais lasse de filer, et que j'avais envie de petits filets pour prendre des oisillons qui venaient becqueter sur les fruits de mon jardin. «Ce que tu «souhaites, ma fille, me dit-elle, ne te coûtera plus de larmes; je t'apporterai des

192

«cordelettes tant que tu en voudras.» Et en effet j'en eus le soir même. Mais elle m'avertit de songer moins à travailler qu'à me faire belle, parce que le roi Migonnet devait arriver dans peu. Je frémis à ces fâcheuses nouvelles et ne répliquai rien.

» Dès qu'elle fut partie, je commençai deux ou trois morceaux de filets; mais à quoi je m'appliquai, ce fut à faire une échelle de corde qui était très bien faite, sans en avoir jamais vu. Il est vrai que la fée ne m'en fournissait pas autant qu'il m'en fallait, et sans cesse elle me disait: «Mais, ma fille, ton ouvrage est sem-«blable à celui de Pénélope, il n'avance point; et tu ne te lasses pas de me de-«mander de quoi travailler. — Oh! ma bonne maman! disais-je, vous en parlez «bien à votre aise; ne voyez-vous pas que je ne sais comment m'y prendre et que «je brûle tout? Avez-vous peur que je vous ruine en ficelle?» Mon air de simplicité la réjouissait, bien qu'elle fût d'une humeur très désagréable et très cruelle.

» J'envoyai Perroquet dire au roi, de venir un soir sous les fenêtres de la tour, qu'il y trouverait l'échelle, et qu'il saurait le reste quand il serait arrivé. En effet, je l'attachai bien ferme, résolue de me sauver avec lui; mais quand il la vit, sans attendre que je descendisse, il monta avec empressement, et se jeta dans ma chambre comme je préparais tout pour ma fuite.

» Sa vue me donna tant de joie, que j'en oubliai le péril où nous étions. Il renouvela tous ses serments, et me conjura de ne point différer de le recevoir pour mon époux: nous prîmes Perroquet et Toutou pour témoins de notre mariage. Jamais noces ne se sont faites, entre des personnes si élevées, avec moins d'éclat et de bruit, et jamais cœurs n'ont été plus contents que les nôtres.

» Le jour n'était pas encore venu quand le roi me quitta: je lui racontai l'épouvantable dessein des fées de me marier au petit Migonnet; je lui dépeignis sa figure, dont il eut autant d'horreur que moi. A peine fut-il parti que les heures me semblèrent aussi longues que des années. Je courus à la fenêtre, je le suivis des yeux malgré l'obscurité; mais quel fut mon étonnement de voir en l'air un chariot de feu traîné par des salamandres ailées, qui faisaient une telle diligence, que l'œil pouvait à peine les suivre? Ce chariot était accompagné de plusieurs gardes montés sur des autruches. Je n'eus pas assez de loisir pour bien considérer le magot qui traversait ainsi les airs, mais je crus aisément que c'était une fée ou un enchanteur.

» Peu après la fée Violente entra dans ma chambre: «Je t'apporte de bonnes «nouvelles, me dit-elle, ton amant est arrivé depuis quelques heures, prépare-toi «à le recevoir. Voici des habits et des pierreries. — Eh! qui vous a dit, m'écriai-je, «que je voulais être mariée? ce n'est point du tout mon intention, renvoyez le «roi Migonnet. Je n'en mettrai pas une épingle davantage. Qu'il me trouve belle «ou laide, je ne suis point pour lui. — Ouais, ouais, dit la fée encore, quelle petite

«révoltée, quelle tête sans cervelle! je n'entends pas raillerie, et je te... — Que
«me ferez-vous? répliquai-je, toute rouge des noms qu'elle m'avait donnés.
«Peut-on être plus tristement nourrie que je le suis, dans une tour avec un per-
«roquet et un chien, voyant tous les jours plusieurs fois l'horrible figure d'un
«dragon épouvantable? — Ha! petite ingrate, dit la fée, méritais-tu tant de soins
«et de peines? Je ne l'ai que trop dit à mes sœurs, que nous en aurions une triste
«récompense.» Elle fut les trouver, elle leur raconta notre différend, elles restèrent aussi surprises les unes que les autres.

» Perroquet et Toutou me firent de grandes remontrances, que si je faisais
davantage la mutine, ils prévoyaient qu'il m'en arriverait de cuisants déplaisirs.
Je me sentais si fière de posséder le cœur d'un grand roi, que je méprisais les
fées et les conseils de mes pauvres petits camarades. Je ne m'habillai point, et
j'affectai de me coiffer de travers, afin que Migonnet me trouvât désagréable.
Notre entrevue se fit sur la terrasse. Il y vint dans son chariot de feu. Jamais depuis qu'il y a des nains, il ne s'en est vu un si petit. Il marchait sur ses pieds
d'aigle et sur les genoux tout ensemble, car il n'avait point d'os aux jambes,
de sorte qu'il se soutenait sur deux béquilles de diamants. Son manteau royal
n'avait qu'une demi-aune de long, et traînait de plus d'un tiers. Sa tête était
grosse comme un boisseau, et son nez si grand qu'il portait dessus une douzaine
d'oiseaux, dont le ramage le réjouissait: il avait une si furieuse barbe, que les
serins de Canarie y faisaient leurs nids, et ses oreilles passaient d'une coudée
au-dessus de sa tête; mais on s'en apercevait peu à cause d'une haute couronne
pointue qu'il portait pour paraître plus grand. La flamme de son chariot rôtit
les fruits, sécha les fleurs et tarit les fontaines de mon jardin. Il vint à moi, les
bras ouverts pour m'embrasser, je me tins fort droite, il fallut que son premier
écuyer le haussât; mais aussitôt qu'il s'approcha, je m'enfuis dans ma chambre,
dont je fermai la porte et les fenêtres; de sorte que Migonnet se retira chez les
fées très indigné contre moi.

» Elles lui demandèrent mille fois pardon de ma brusquerie, et pour l'apaiser,
car il était redoutable, elles résolurent de l'amener la nuit dans ma chambre
pendant que je dormirais, de m'attacher les pieds et les mains, pour me mettre
avec lui dans son brûlant chariot afin qu'il m'emmenât. La chose ainsi arrêtée,
elles me grondèrent à peine des brusqueries que j'avais faites; elles dirent seulement qu'il fallait songer à les réparer. Perroquet et Toutou restèrent surpris
d'une si grande douceur. «Savez-vous bien, ma maîtresse, dit mon chien, que
«le cœur ne m'annonce rien de bon; mesdames les fées sont d'étranges person-
«nages, et surtout Violente.» Je me moquai de ces alarmes, et j'attendis mon
cher époux avec mille impatiences: il en avait trop de me voir pour tarder; je
lui jetai l'échelle de corde, bien résolue de m'en retourner avec lui. Il monta lé-

gèrement, et me dit des choses si tendres, que je n'ose encore les rappeler à mon souvenir.

»Comme nous parlions ensemble avec la même tranquillité que nous aurions eue dans son palais, nous vîmes enfoncer tout d'un coup les fenêtres de ma chambre. Les fées entrèrent sur leur terrible dragon, Migonnet les suivait dans son chariot de feu, et tous ses gardes avec leurs autruches. Le roi, sans s'effrayer, mit l'épée à la main et ne songea qu'à me garantir de la plus furieuse aventure qui se soit jamais passée; car enfin, vous le dirai-je, seigneur? ces barbares créatures poussèrent leur dragon sur lui, et à mes yeux il le dévora.

»Désespérée de son malheur et du mien, je me jetai dans la gueule de cet horrible monstre, voulant qu'il m'engloutît, comme il venait d'engloutir tout ce que j'aimais au monde. Il voulait bien aussi; mais les fées encore plus cruelles que lui ne le voulurent pas. «Il faut, s'écrièrent-elles, la réserver à de plus longues, «peines, une prompte mort est trop douce pour cette indigne créature.» Elles me touchèrent: je me vis aussitôt sous la figure d'une Chatte blanche; elles me conduisirent dans ce superbe palais qui était à mon père; elles métamorphosèrent tous les seigneurs et toutes les dames du royaume en chats et en chattes; elles en laissèrent à qui l'on ne voyait que les mains, et me réduisirent dans le déplorable état où vous me trouvâtes, me faisant savoir ma naissance, la mort de mon père, celle de ma mère, et que je ne serai délivrée de ma chatonique figure que par un prince qui ressemblerait parfaitement à l'époux qu'elles m'avaient ravi· C'est vous, seigneur, qui avez cette ressemblance, continua-t-elle: mêmes traits, même air, même son de voix; j'en fus frappée aussitôt que je vous vis; j'étais informée de tout ce qui devait arriver, et je le suis encore de tout ce qui arrivera; mes peines vont finir. — Et les miennes, belle reine, dit le prince, en se jetant à ses pieds, seront-elles de longue durée? Je vous aime déjà plus que ma vie. — Seigneur, dit la reine, il faut partir pour aller vers votre père, nous verrons ses sentiments pour moi et s'il consentira à ce que vous désirez.»

Elle sortit, le prince lui donna la main, elle monta dans un chariot avec lui: il était beaucoup plus magnifique que ceux qu'il avait eus jusqu'alors. Le reste de l'équipage y répondait à tel point que tous les fers des chevaux étaient d'émeraudes et les clous de diamants. Cela ne s'est peut-être jamais vu que cette fois-là. Je ne dis point les agréables conversations que la reine et le prince avaient ensemble; si elle était unique en beauté, elle ne l'était pas moins en esprit, et ce jeune prince était aussi parfait qu'elle; de sorte qu'ils pensaient des choses toutes charmantes.

Lorsqu'ils furent près du château, où les deux frères aînés du prince devaient se trouver, la reine entra dans un petit rocher de cristal, dont toutes les pointes étaient garnies d'or et de rubis. Il y avait des rideaux tout autour, afin qu'on ne

196

la vît point, et il était porté par de jeunes hommes très bien faits et superbement vêtus. Le prince demeura dans chariot; il aperçut ses frères qui se promenaient avec des princesses d'une excellente beauté. Dès qu'ils le reconnurent, ils avancèrent pour le recevoir, et lui demandèrent s'il amenait une maîtresse. Il leur dit qu'il avait été si malheureux, que dans tout son voyage il n'en avait rencontré que de très laides, que ce qu'il apportait de plus rare, c'était une petite Chatte blanche. Ils se prirent à rire de sa simplicité: «Une chatte, lui dirent-ils, avez-vous peur que les souris ne mangent notre palais?» Le prince répliqua qu'en effet il n'était pas sage de vouloir faire un tel présent à son père; là-dessus chacun prit le chemin de la ville.

Les princes aînés montèrent avec leurs princesses, dans des calèches toutes d'or et d'azur, leurs chevaux avaient sur leurs têtes des plumes et des aigrettes; rien n'était plus brillant que cette cavalcade. Notre jeune prince allait après, et puis le rocher de cristal, que tout le monde regardait avec admiration.

Les courtisans s'empressèrent de venir dire au roi que les trois princes arrivaient: «Amènent-ils de belles dames? répliqua le roi. — Il est impossible de rien voir qui les surpasse.» A cette réponse il parut fâché. Les deux princes s'empressèrent de monter avec leurs merveilleuses princesses. Le roi les reçut très bien, et ne savait à laquelle donner le prix: il regarda son cadet, et lui dit:

«Cette fois-ci vous venez donc seul? — Votre majesté verra dans ce rocher une petite Chatte blanche, répliqua le prince, qui miaule si doucement et qui fait si bien patte de velours qu'elle lui agréera.» Le roi sourit et s'avança lui-même pour ouvrir le rocher; mais aussitôt qu'il s'approcha, la reine, avec un ressort, en fit tomber toutes les pièces, et parut comme le soleil qui a été quelque temps enveloppé dans une nue; ses cheveux blonds étaient épars sur ses épaules, ils tombaient par grosses boucles jusqu'à ses pieds; sa tête était ceinte de fleurs, sa robe d'une légère gaze blanche, doublée de taffetas couleur de rose. Elle se leva et fit une profonde révérence au roi, qui ne put s'empêcher, dans l'excès de son admiration, de s'écrier: «Voici l'incomparable, et celle qui mérite ma couronne. — Seigneur, lui dit-elle, je ne suis pas venue pour vous arracher un trône que vous remplissez si dignement; je suis née avec six royaumes: permettez que je vous en offre un et que j'en donne autant à chacun de vos fils. Je ne vous demande pour toute récompense que votre amitié, et ce jeune prince pour époux. Nous aurons encore assez de trois royaumes.» Le roi et toute la cour poussèrent de longs cris de joie et d'étonnement. Le mariage fut célébré aussitôt, aussi bien que celui des deux princes, de sorte que toute la cour passa plusieurs mois dans les divertissements et les plaisirs. Chacun ensuite partit pour aller gouverner ses états; la belle Chatte Blanche s'y est immortalisée autant par ses bontés et ses libéralités, que par son rare mérite et sa beauté.

*Ce jeune prince fut heureux*
*De touver en sa chatte une auguste princesse,*
*Digne de recevoir son encens et ses vœux,*
*Et prête à partager ses soins et sa tendresse:*
*Quand deux yeux enchanteurs veulent se faire aimer,*
*On fait bien peu de résistance,*
*Surtout quand la reconnaissance*
*Aide encore à nous enflammer.*
*Tairai-je cette mère et cette folle envie,*
*Qui fit à Chatte Blanche éprouver tant d'ennuis,*
*Pour goûter de funestes fruits!*
*Au pouvoir d'une fée elle la sacrifie.*
*Mères, qui possédez des objets pleins d'appas,*
*Détestez sa conduite et ne l'imitez pas.*